165種新吃法！
天天都愛吃蔬菜！

Better Home 協會 編著　藍嘉楹 翻譯

笛籐出版

因為簡單，
所以應該
能持之以恆～

雖然很擔心蔬菜
攝取不足的問題…

一旦忙起來，或者外食的機會增加，就很難避免蔬菜攝取不足的問題。可是，每當在家的時候，如果想用蔬菜做點簡單的料理，每一次做出來的永遠都是生菜沙拉。改成照食譜做菜呢，光想到要準備哪些蔬菜就覺得麻煩。

有沒有什麼只要利用家裡現有的蔬菜，然後花個幾分鐘料理，就可以吃到一大堆美味蔬菜的好方法呢？

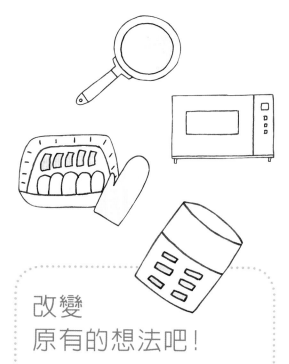

改變
原有的想法吧！

為了替大家解決這個煩惱，本書一共介紹了4種簡單的料理絕招。
- ❶用平底鍋燜燒
- ❷以微波爐統一加熱
- ❸以生食大量攝取
- ❹整個放進烤箱

以上提到的料理方式雖然聽起來平凡無奇，不過裡面其實隱藏著能夠攝取到大量蔬菜的訣竅。只要掌握調理的方法，即使蔬菜的種類並不齊全；或者沒有食譜可供參考，還是能快速地料理出一道美味的蔬菜料理。

想不費吹灰之力，就吃到很多蔬菜！

另外，蔬菜的吃法其實愈簡單愈好。本書在「簡單小碟菜」類介紹了「生食」「清燙（微波加熱）」等料理起來非常容易的方法。調味方面也很容易，只要利用市面上買得到的調味料就能輕鬆完成。這樣一道簡單的小碟菜，大約可攝取到70g蔬菜。

不要被懶惰打敗！天天都愛吃蔬菜！

本書後半部，介紹能攝取到滿滿蔬菜的菜盤。「如果每天都這樣攝取青菜，應該就OK了」希望大家將這樣的想法養成習慣，天天都愛吃蔬菜！

相信主食＋主菜＋配菜的套餐搭配大家都已經很熟悉。因為「簡單小碟菜」可當蔬菜的配菜，做起來很容易。

如果能持續利用這種簡單的料理法，讓飲食盡量接近菜盤標準，就不必擔心蔬菜攝取不足的問題！因為你已經養成固定進食蔬菜的習慣了。

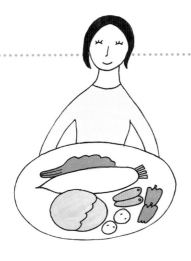

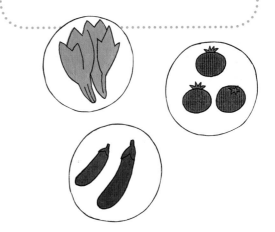

簡單4招，
變身美味蔬食，
一上桌就吃光光！

把蔬菜統統裝進平底鍋

以微波爐統一加熱

把生菜變美味 一口接一口！

······ 鮮脆生菜最可口！ ······

整個放進烤箱 烤過再大快朵頤

······ 輕鬆烤烤就上桌！ ······

養成每天的習慣！
可以大口吃蔬菜的
滿滿蔬菜盤

美味蔬菜湯，上桌！

放了滿滿
蔬菜的菜盤

······ 本書的通則 ······

計量

1大匙＝15ml　　1小匙＝5ml
1杯＝200ml　　ml＝cc

平底鍋

本書使用的是經過鐵氟龍加工的平底鍋。如果用的是鐵製平底鍋，不論是拌炒或油煎，請再多放一點油。

微波爐

加熱時間以功率600W的微波爐為基準。如果是500W的微波爐，加熱的時間需要約延長1.2倍。

烤箱

加熱溫度以一般的電熱式烤箱為準。如果是瓦斯烤箱的話，請把溫度調低

10℃。烤箱要先預熱再使用。

高湯粉

本書用的是顆粒狀的濃縮高湯。可以依照個人喜好選擇雞肉或牛肉口味。如果選擇高湯塊，可以用菜刀切下需要的份量。

熱量（kcal）

如果沒有特別標示，都是1人份。

本書使用的
各種便利調味料

*不包括砂糖、鹽、味噌等一般最常見的調味料。

◎ 沾麵醬

稀釋成不過鹹的濃度，或者使用原液（濃縮2～3倍）。
如果要DIY沾麵醬，調配方法是醬油：味醂：高湯
＝1：1：4。

◎ 酸橘醋醬油

◎ 壽司醋

自己調配的話，比例是2大匙醋，搭配1大匙砂糖和1/3小匙鹽。

〈方便調味料〉可以直接使用，讓
味道充滿層次。除了涼拌，也可以
當作沙拉醬、燒烤用的醃醬等。

◎ 粗胡椒粒

◎ 咖哩粉

◎ 香草鹽

◎ 月桂葉

〈辛香料〉和粉狀胡椒相比，粗胡
椒粒的香氣要迷人許多。混了香草
的香草鹽，使用起來非常方便。除
了燉煮料理之外，月桂葉在火炒類
的料理（p.26）也派得上用場。

◎ 辣椒

◎ 豆瓣醬

◎ 苦椒醬（韓式辣醬）

〈辣味〉辣椒提供的是單純的辣
味；豆瓣醬除了辣味，還多了一
股香氣；苦椒醬是帶有甜味的味
噌辣醬。

◎ 法式醬汁

在家自己做的話，調配比例是2大匙醋混合等量的沙拉油或橄
欖油，再加上1/6小匙鹽和少許胡椒。

◎ 美乃滋

〈醬汁〉只要記住醋和油的比例大約
是1：1這項基本原則，就可以在家簡
單製作出法式醬汁。放進冷藏的話，
做好的醬汁大約可保存4～5天。

◎ 起司奶油（小包裝）

◎ 起司片

◎ 優格

〈乳製品〉蔬菜料理加了起司調味
後，味道會變得更加香醇美味。優格
可以當作調味醬使用。

◎ 橄欖油

◎ 麻油

〈油〉油脂的香味將大大左
右料理的味道。橄欖油如果
也要當作醬汁使用的話，建
議最好使用特級橄欖油。

◎ 白芝麻

◎ 柴魚片

◎ 梅乾

◎ 昆布鹽

◎ 小魚乾

〈日式香料和鹽味〉能發揮畫龍點
睛的效果，讓口味容易陷入單調的
蔬菜變得鮮美。西式常見的提味食
材包括培根、鯷魚和橄欖等。

蔬菜的原貌

要多吃點好吃的蔬菜，才能元氣滿滿喔！

C=調理的重點
N=營養價值

高麗菜

C料理方便，除了生食，也可蒸、烤。如果生吃，最好先用鹽巴等搓揉一番，就可以大口吃下很多生菜（p.44）。如果是春季高麗菜，與其微波，最好汆燙，較能保持菜葉美麗的顏色。

N除了維生素C，也含有大量具備整胃作用的維生素U。另外，十字花科蔬菜的抗癌成分也備受注目。

洋蔥

C把生洋蔥浸泡在水中可以降低其辛辣味，但缺點是營養成分也會跟著流失，所以浸泡的時間不要太久。加熱後，會釋放出甜味。不論是當成配料或製作醬料（p.52）都很合適。

N其嗆鼻的成分，具備能溶解血栓、淨化血液的作用，而且也能除去致癌物質的毒性。另外，還含有大量能增加腸內好菌的寡糖。

紅蘿蔔

C因為質地比較堅硬，如果要和其他蔬菜一起加熱的話，最好切小塊一點（p.29）。要連皮烹調也不是不行，但如果是以生的狀態醃過的料理，外皮容易泛黑，所以最好還是把皮削掉。

N含有能抗癌的β－胡蘿蔔素。而且它能在體內自行轉換為維生素A，能強化黏膜，增強抵抗力。

馬鈴薯

C為了避免硬度在加熱時出現不均勻的情形，形狀要切得一致。如果不是馬上要用，最好先浸泡在水裡，以免變色。炒食能保留馬鈴薯清脆的嚼感，吃起來非常美味（p.24）。

N其所含的維生素C，即使加熱也不會流失。維生素C除了能抗氧化，也能提高白血球的功能。

蔥

C把生蔥浸泡在水裡，能沖淡原有的辛辣味。加熱後，辣味會轉為甜味，能讓料理變得更加可口。用燒烤的方式料理的話，可以整支食用（p.72）。

N辛辣的成分具備血液循環、殺菌、抗氧化等功能；另外，也有溫熱身體和消除疲勞的效果。

茄子

C使用油脂調理的話，能去除原有澀味，並釋出甜味。先在茄子抹一層油再炒的話，可以減少油的用量（p.25）。汆燙和燉煮的溫度容易讓外皮褪色。

N青紫色的外皮含有花青素，具備強大的抗氧化力。此外，也有恢復視力、降低膽固醇的效果。

彩椒

C含有甜分，即使生吃也容易入口（p.64）。屬於色彩鮮豔的蔬菜，使用上可以少量多次。沒有一次吃完的話，用保鮮膜把剩下的包起來冷藏。

N含豐富維生素C和胡蘿蔔素。尤其是紅色彩椒，含量更是比一般綠色青椒高出兩倍以上。紅色色素的成分是辣椒紅素，具備強大的抗氧化力。

南瓜

C雖然質地堅硬，不過煮熟的速度很快；如果要和其他蔬菜一起調理，最好切大塊些（p.26）。

Nβ－胡蘿蔔素、維生素C和E的含量都很豐富，而且每一種都具備很強的抗氧化力。尤其是維生素E，除了促進血液循環，也有美化肌膚的功能，是女性不可缺少的營養素。

青花椰

C如果不先汆燙要直接火炒的話，要先分成小瓣才容易熟透。用微波爐加熱後，最好盛放在漏杓上，以免被餘熱加熱到變色（p.37）。

N含有大量維生素A（胡蘿蔔素）、C、E、食物纖維。另外，也含有蘿蔔硫素，能活化致癌物質的解毒酵素。

蕈類

C生鮮狀態下也可直接冷凍保存，相當方便。雖可直接從冷凍庫取出料理，不過不適合燒烤（p.72）。蕈類容易出水，所以注意不可加熱過久。

N維生素D的含量豐富，有助鈣質的吸收。食物纖維的含量也很高，其中的一項成分－β－葡聚醣，有提高免疫力的功能。

牛蒡

C 浸泡在水中雖然能防止變色，但營養素也會隨之流失，所以時間不可過長。以微波爐加熱的話，可以事先用醋水浸泡，比較不容易變黑（p.30）。

N 食物纖維和寡糖的含量都很豐富，能保持腸道的健康。也含有具備抗氧化作用的多酚。

蕃茄

C 鮮甜美味，如果放進燉煮類的菜餚等，能讓料理增色不少。整顆冷凍起來也OK，不過容易潰不成形，最好還是加熱調理。

N β－胡蘿蔔素、茄紅素都很豐富。尤其是茄紅素這種色素，具備強大的抗氧化力。即使製作成蕃茄加工品，含量還是很高。

萵苣

C 生食的話放在水裡稍微洗過就好；加熱的話，也只要一下子，才能保持清脆美味的口感。加熱的好處是可以大量攝取（p.22）。

N 水分含量很高的關係，所以營養價值並不出色。不過多少也含有一些食物纖維和礦物質。

小黃瓜

C 切出來的形狀會影響嚼感，所以可以嘗試各種切法（p.61）。先用鹽巴搓揉一下再瀝乾水分，可以去除特有的青澀味。

N 雖然營養價值不高，不過也含有不少鉀和食物纖維。鉀的功能是幫助鹽分的代謝。

白蘿蔔

C 可以醃漬、做成沙拉，或者料理成入味的燉煮料理也很美味（p.63）。比較不適合燒烤，或者用微波爐調理，因為比較不容易入味。

N 含有能幫助消化的澱粉酵素（amylase）。十字科蔬菜特有的辣味成分，具備抗氧化和防止血栓形成等作用。

大蒜

C 1次約使用5g就夠了。生食的話只須少量，卻能達到很好的效果（p.58）。剩下來的要用保鮮膜包好，趁早食用完畢。

N 其嗆鼻的成分能提高維生素B1的吸收率，也有消除疲勞的效果。另外，大蒜也有很強的殺菌和抗氧化力。

薑

C 一次的使用量大約5g就已足夠，所以不妨把整塊薑切成一次使用的大小，分成小包冷凍保存。也可以用醋醃漬起來（p.51）。

N 辣味的成分能促進新陳代謝，溫熱身體並有助血液循環。

葉菜類（小松菜、菠菜、山茼蒿）

C 葉菜類的葉片很薄，水分容易蒸發，所以不適合放進微波爐加熱。把菠菜浸泡在水中可以消除澀味，所以汆燙比較理想。

N 胡蘿蔔素、維生素C、鈣質的含量很多。尤其是小松菜，更是含有豐富的鈣質和鐵質。綠色的葉菜類，大多含有和成長有密切關係的葉酸。

韭菜

C 加熱過久的話，纖維會變得很硬，顏色也不如原來鮮綠。可以生食。很容易乾燥，而且一乾燥就會枯萎，最好等到快要調理時才從袋裡拿出來。

N β－胡蘿蔔素、維生素C和食物纖維都很豐富。韭菜和蔥、大蒜同屬石蒜科蔬菜，其香味的成分有助提升維生素B1的吸收率。

酪梨

C 可以生食，不需花工夫料理，是一種很方便的水果。搭配醬油類的醬汁很對味。如果一次吃不完，可以在切口處撒上一點檸檬汁，能夠防止變色。

N 維生素E很多，有抗氧化及淨化血液的作用。不飽和脂肪酸的含量也很高，有助降低膽固醇。

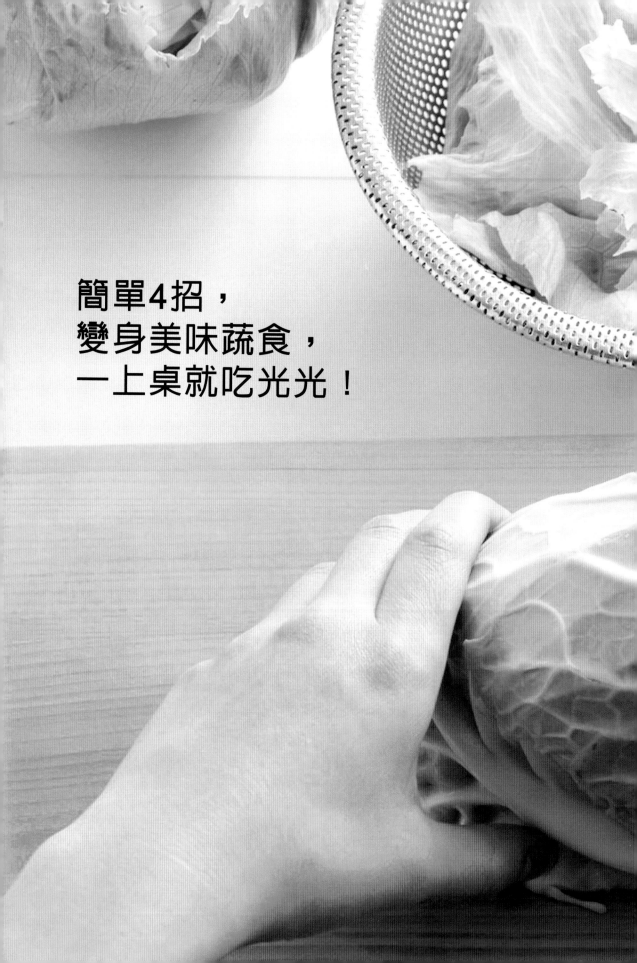

簡單4招，
變身美味蔬食，
一上桌就吃光光！

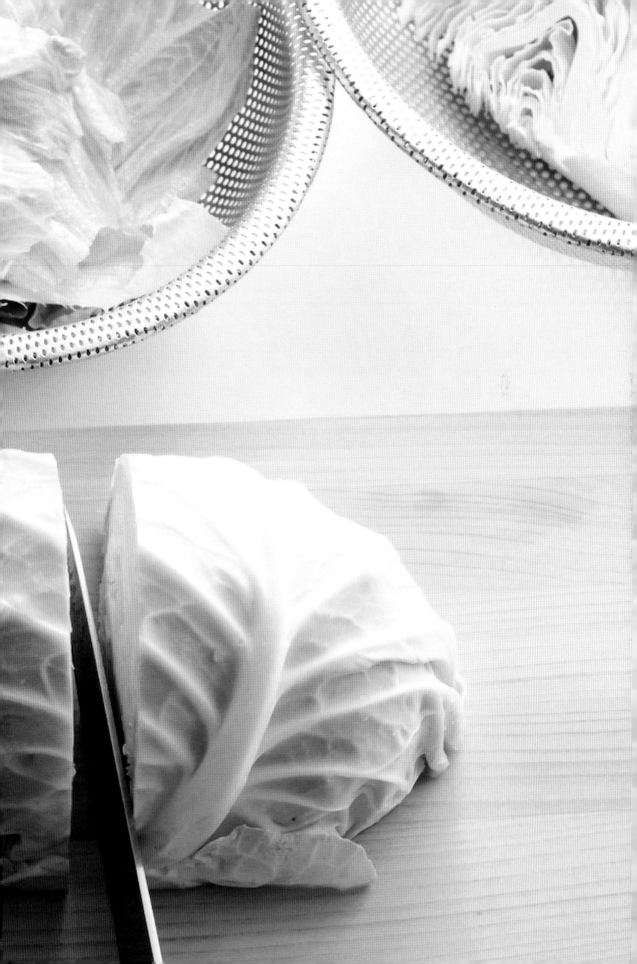

把蔬菜統統裝進平底鍋

這次要介紹的是把蔬菜裝進深底的平底鍋，用燜煮加熱至熟的調理方式。高麗菜、白菜、薯芋類等份量十足的蔬菜，尤其適合這種調理法。基本的調理一共有3個步驟。

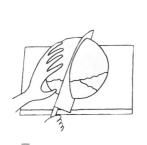

1 切蔬菜。

2 把蔬菜裝進深底的平底鍋，加一點水。

＊蒸煮時，加入肉類和海鮮類食材一起烹煮，就可以變身為主菜級料理喔！

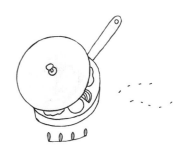

3 蓋上鍋蓋，燜熟。

＊直接沾醬食用，或是在加熱最後步驟加入醬料類調味即可。

高麗菜蒸豬肉片

377kcal ｜ **25**分鐘

材料 2人份

[蔬菜　約550g]

高麗菜	350g
小洋蔥（或洋蔥）	6顆（120g）
綠蘆筍	4支（80g）

[肉排等]

豬里肌（用來炸豬排等部位的肉排）	200g
鹽	1/4小匙
胡椒	少許
大蒜（切薄片）	1片（10g）
橄欖油	1/2大匙
白酒	2大匙
迷迭香（或百里香）	2支
芥末粒	少許

作法

❶ 把高麗菜切成4大塊。削掉小洋蔥的皮，把綠蘆筍切成3段。
肉排以鹽巴和胡椒醃漬。

❷ 把油和蒜片倒進平底鍋加熱，再放進肉排；只要肉排表面煎熟，即可取出。

接著把蔬菜重疊地放進鍋內，再堆上肉排和迷迭香，倒入白酒。

❸ 蓋上鍋蓋，用小火蒸15分鐘。裝盤後，放上芥末粒。

風味鮮美多汁！

作法是把蔬菜和煎過的肉排放進鍋內燜熟。調味料只有芥末粒，非常簡單。至於蔬菜方面，其實只要準備高麗菜和洋蔥就OK了。家裡如果沒有上述提到的香草，也可以改放1小匙高湯粉來增加鮮味。

高麗菜鮭魚辣味鏘鏘燒

248kcal | **25**分鐘

材料 2人份

[蔬菜 約400g]

高麗菜	**250g**
鴻喜菇	**100g**
蔥	**1/2根（50g）**
紅蘿蔔	**30g**

[魚肉等]

生鮭魚（或生鱈魚）	**2塊（200g）**
鹽・胡椒	**各少許**
沙拉油	**1小匙**
米酒	**2大匙**

[味噌醬料]

味噌	**2大匙**
砂糖・味醂・酒	**各1/2大匙**
豆瓣醬	**1/2小匙**

作法

❶ 把高麗菜切成5cm塊狀；蔥斜切成段；紅蘿蔔切成薄片。鴻喜菇分成小朵。

鮭魚去皮後對半切，再抹上鹽和胡椒。

❷ 用深底的平底鍋熱油，用大火將鮭魚的表面煎熟再取出。用廚房紙巾拭去多餘的油脂和魚肉的腥味。

接著，把蔬菜一一排進鍋內，放上鮭魚後，倒入米酒。

❸ 開小火，蓋上鍋蓋，燜燒約10分鐘。

把味噌醬料的所有材料混在一起，最後再倒進鍋內。迅速攪拌後，關火。

料理起來很方便

燜燒完畢以後，再把味噌醬料攪拌均勻就完成了。正統的鏘鏘燒其實就是鐵板燒；不過，如果料理成常吃的配菜，還是用平底鍋比較方便。味道濃郁的味噌醬汁，吃起來很開胃唷。

高麗菜大阪燒

519kcal | **25**分鐘

材料 2人份

[蔬菜　約350g]

高麗菜……………………250g
山藥………………………100g
蔥…………………10根（20g）
紅薑………………………10g

[肉]

豬五花（薄片）…………100g

[麵餅糊]

大阪燒預拌粉……………100g
蛋…………………………1顆
水………………………100ml

[調味配料等]

大阪燒醬汁　美乃滋汁
海苔粉　柴魚片…………各適量

＊如果沒有大阪燒預拌粉，可以用麵粉100g＋1小匙高湯粉代替。

作法

❶ 把高麗菜切成細絲，山藥切成細條，蔥和薑切成粗末。
把雞蛋和水攪拌均勻，再加入預拌粉仔細攪拌，以免結塊。

❷ 把肉片一片片鋪在深底的平底鍋內，點火加熱。等到單面煎熟後翻面，關火。
接著鋪上高麗菜、山藥、蔥、紅薑，再以繞圈的方式淋上麵餅糊。

❸ 蓋上鍋蓋，以極小火燜燒7～8分鐘。翻面後（用大盤子按住麵皮，把平底鍋整個翻過來，讓另一面的麵皮滑進盤內，再放回鍋內）再燜烤2～3分鐘。把大阪燒盛放在盤子內，塗抹上醬料和美乃滋，最後再鋪上配料。

最適合用這種方法料理！

吃大阪燒可以攝取到的蔬菜量比想像中多出不少。如果用平底鍋製作，只要把麵餅糊倒進蔬菜內就好了，相當簡單方便。家裡剩下的蔬菜順便加進去的話，可以一次品嚐到多種蔬菜的滋味。

蒸煮蕃茄&四季豆

286kcal | **25**分鐘

這道料理要把蔬菜煮到比較軟嫩的程度。燜煮的時間較長，可以讓蔬菜的甜味和橄欖油的鮮味融為一體，吃起來十分美味。遇到四季豆昂貴的時候，改用青花椰也沒關係。

把蔬菜煮得軟軟的

材料 2人份

[蔬菜　約500g]

蕃茄	1顆（200g）
四季豆	100g
紅蘿蔔	1/2條（100g）
洋蔥	1/2個（100g）

[臘腸等]

臘腸	4條（100g）
白酒（或米酒）	2大匙
橄欖油	1大匙
鹽・胡椒	各少許

作法

❶ 把蕃茄切成一口大小，四季豆對半切。紅蘿蔔切成長薄片，洋蔥切成厚度約5mm的薄片。在臘腸劃下幾道切痕。

❷ 把蔬菜疊入深底的平底鍋內，再鋪上臘腸。灑上白酒和橄欖油後，撒進鹽和胡椒。

❸ 蓋上鍋蓋，以小火蒸煮15～18分鐘。

披薩南瓜

278kcal | **20分鐘**

材 料　2人份

[蔬菜　約400g]

南瓜·····························**100g**
櫛瓜·····························**1/2條（70g）**（或者改用茄子1條）
蕃茄·····························**1個（200g）**
洋蔥·····························**1/4個（50g）**

[培根等]

培根·····························**2片（40g）**
黑橄欖的輪切薄片·····**6片（5g）**
起司片（迅速融化的種類）**4片**
白酒（或米酒）···········**2大匙**
鹽、胡椒·····················各少許
羅勒（沒有也無妨）·····少許

作 法

❶ 把南瓜切成**5mm**厚的薄片。櫛瓜、蕃茄、洋蔥也切成相同厚度。培根對半切成兩半。

❷ 用深底的平底鍋稍微將培根的兩面煎過（不放油），關火。
鋪好南瓜後，疊上洋蔥、櫛瓜、蕃茄和起司（折成兩半），再撒上黑橄欖。倒進白酒後，撒上鹽巴和胡椒。

❸ 蓋上鍋蓋，以小火燜燒約**10分鐘**。盛放到盤內，撒上羅勒葉。也可以加點**Tabasco**辣椒醬。

突破以往的作法

南瓜含有豐富的維生素，是女性不可或缺的好朋友。和起司一起燜熟，吃起來不但美味，做法也很簡單。如果上面再放點橄欖或鯷魚等帶有鹹味的食材，味道會更加豐富。

蒸白菜

275kcal | **25**分鐘 （熱量是2人份）

材料 2～3人份

[蔬菜　約750g]

白菜	1/4顆（600g）
金針菇	1袋（100g）
蔥	1/2根（50g）
薑（切絲）	1塊（10g）

[肉等]

豬五花薄片	100g
米酒	2大匙

[醬料]

酸橘醋醬油、麻油、
粗粒黑胡椒 各準備適量

作法

❶ 把白菜切成5～6cm的小段。
金針菇切成兩半，蔥斜切成
薄段。將肉片，一片一片捲
起來。

❷ 把白菜放入深底的平底鍋，鋪
上金針菇和蔥段，再把肉片塞
進剩餘空間。淋上米酒。

❸ 蓋上鍋蓋，以極小火燜煮約
15分鐘。淋上喜歡的醬料或
撒點胡椒就可以享用了。

份量十足！

放進平底鍋內的白菜，即使
份量多到快滿出來，但只要
調理得當，吃起來美味涮嘴，
再多的量也能輕鬆解決。不
但能吃飽飽，更是一道健康
又省錢的簡單料理。

青江菜&蔥煮奶油

191kcal　**20**分鐘　（熱量是兩人份）

材 料　2～3人份

[蔬菜　約300g]
青江菜（小松菜也可以）………2把（200g）
蔥…………………………………1支（100g）
薑…………………………………1小塊（5g）

[火腿]
火腿………………………………2片（40g）

[醬汁]
牛奶………………………………100ml
鮮奶油（牛奶也可以）…………3大匙
高湯粉……………………………1/2小匙
太白粉……………………………1小匙
鹽、胡椒…………………………各少許

作 法

❶ 把青江菜對半切，再把菜梗切成4～
　6塊。蔥也切成同樣的長度。薑切成
　末，火腿切成1cm寬。

❷ 把蔬菜放進深底的平底鍋，鋪上火腿，
　再倒入水1/4杯（材料以外的份量）。

❸ 蓋上鍋蓋，以小火燜煮約10分鐘。
　煮好後，倒掉多餘的水分。
　把醬汁的材料倒入攪拌均勻，煮到
　沸騰好增加稠度。

燜煮完成之後，只要再加入醬
汁就大功告成。把香醇濃郁的
醬汁淋在蔬菜上，真是叫人難
以抗拒。有些人或許會擔心
奶油和白飯不搭，保證絕對是
多慮了。蔥加熱後會釋放出甜
味，也請大家要仔細品味喔。

好下飯喲

普羅旺斯燉菜

204kcal | **25**分鐘

材料 2人份

[蔬菜 約550g]

茄子	1條（70g）
櫛瓜（或茄子）	1/2條（70g）
紅椒	1/2個（70g）
南瓜	50g
洋蔥	1/2顆（100g）
蕃茄	1個（200g）
大蒜	1片（10g）

[調味料]

白酒	2大匙
橄欖油	2大匙
鹽	1/3小匙
胡椒	少許

做法很簡單，只要把蔬菜全部加在一起略微拌炒，再蓋上鍋蓋燜煮就好了。這道料理的水分幾乎全來自蔬菜本身。就算沒有湊齊櫛瓜、紅椒和茄子這幾項蔬菜也沒關係。一次多做一點冷凍保存，等到想吃的時候就很方便了。

可以一次多做一點兒

作法

❶ 把茄子、櫛瓜輪切成7～8mm厚。紅椒切成2cm的小塊，南瓜也切成相同大小。洋蔥薄切成絲，蕃茄任意切成小塊。大蒜薄切成片。

❷ 把大蒜和橄欖油放入深底的平底鍋，以小火爆香。等到香味釋出，加入其他全部的蔬菜，迅速攪拌，好讓油脂充分混於其中。

❸ 蓋上鍋蓋，以小火燜煮約10分鐘。撒上鹽和胡椒。直接吃也可以，不過如果先放涼，吃起來比較入味。

辣味茄汁蔬菜

95kcal　|　**20**分鐘

材料 **2人份**

[蔬菜　約600g]

蕃茄	2顆（400g）
蔥	10cm
大蒜	1片（10g）
青花椰	1/4顆（50g）
蕪菁	1個（100g）
杏鮑菇	1支（30g）

[調味料]

米酒	2大匙

[辣醬]

蕃茄醬	1大匙
米酒、水	各1/2大匙
砂糖、醬油	各1小匙
豆瓣醬	1/3小匙
太白粉	1小匙

作法

❶ 把蕃茄任意切成小塊，蔥和大蒜切末。其他蔬菜切成一口大小。

❷ 把蔬菜❶倒進深底的平底鍋，再把酒灑進去。

❸ 蓋上鍋蓋以小火燜煮**10分鐘**。
混合辣醬的材料，倒進平底鍋內。邊煮邊攪拌，好增加稠度。

蕃茄是種含有多種營養素而備受矚目的健康蔬菜，它本身的甜味和酸味應用在料理上也大為活躍。像大家熟悉的乾燒蝦仁，裡面就加了蕃茄醬。另外，也可以把其他蔬菜換成馬鈴薯、茄子、菇類等。

蕃茄很厲害喔！

快手拌炒
超Easy！

※ 下列這些菜餚只要放進平底鍋，稍微炒過就可以吃了。
※ 份量都是1人份。每一盤大約使用70～100g蔬菜。

韭菜炒蛋

`103kcal` `5分鐘`

韭菜·················70g
蛋·····················1個
鹽、胡椒·············各少許
麻油·················1小匙
高湯粉·················少許

把蛋汁打散，再混入鹽和胡椒。韭菜切成3cm長，用油炒過後，倒進高湯粉攪拌均勻，裝盤。接著把蛋炒至半熟，鋪在韭菜上。

大蒜炒高麗菜

`64kcal` `5分鐘`

高麗菜·················100g
大蒜·············1小片（5g）
麻油·················1小匙
鹽、胡椒·············各少許

把高麗菜撕成小片，大蒜切成薄片。用油將高麗菜和大蒜炒過，撒上鹽巴和胡椒即可。

蠔油炒萵苣

`59kcal` `5分鐘`

萵苣·················100g
蠔油·················1/2大匙
沙拉油·················1小匙

把萵苣撕成小片。用油炒過後，加入蠔油拌勻即可。

韭菜炒海帶芽

`57kcal` `5分鐘`

韭菜·············1/2把（50g）
紅蘿蔔·················20g
A〔
水·················1/4杯
高湯粉·················1/3小匙
乾燥海帶芽·············1g
〕
沙拉油·················1小匙

把A的材料混在一起，海帶芽泡開。韭菜切成3cm長，紅蘿蔔切成細絲。用油將蔬菜炒過後，倒進A拌勻即可。

咖哩高麗菜

`64kcal` `5分鐘`

高麗菜·················100g
沙拉油·················1小匙
A〔
咖哩粉·················1/2小匙
高湯粉、鹽、胡椒·······各少許
〕

把高麗菜切成細絲，用油炒過後，撒上A。

辣炒萵苣

`55kcal` `5分鐘`

萵苣·················100g
沙拉油·················1小匙
薑（切絲）·············5g
A〔
紅辣椒（切小圈）·······少許
高湯粉·················少許
〕

把萵苣撕成小片。用油把萵苣和辣椒迅速炒過後，加入A拌勻即可。

鹽味晚豌豆莢

| 102kcal | 5分鐘 |

豌豆莢 ·················80g（約40片豆莢）
火腿 ·····················1片
沙拉油 ·················1小匙
鹽、胡椒 ·············各少許

撕掉豌豆莢的筋絲，把火腿切成1cm寬。
用油拌炒兩者後，撒上鹽和胡椒調味。

美乃滋炒小松菜
＆培根

| 131kcal | 5分鐘 |

小松菜 ·················80g
培根 ·····················1片
美乃滋 ·················1/2大匙
鹽、胡椒 ·············各少許

把小松菜切成4cm長，培根切成7～
8mm寬。用油炒過培根以後，加入小
松菜和美乃滋拌炒。最後撒上鹽和胡椒
調味。

海苔炒青椒

| 54kcal | 5分鐘 |

青椒 ·····················2個（80g）
海苔 ·····················1/4片
麻油 ·····················1小匙
鹽 ·························少許

青椒切成細絲；海苔撕成碎片。用油把青
椒炒軟以後，加入鹽巴和海苔攪拌均勻。

麻油炒青龍椒

| 65kcal | 5分鐘 |

青龍椒 ·················5條（20g）
洋蔥 ·····················1/4顆（50g）
麻油 ·····················1小匙
鹽、胡椒 ·············各少許
白芝麻 ·················1/2小匙

在青龍椒劃下切痕，把洋蔥薄切成絲。
用油炒過蔬菜後，撒入鹽和胡椒調味。
用手指抓一小撮芝麻撒進去。

小松菜炒豆皮

| 110kcal | 8分鐘 |

小松菜 ·················80g
豆皮 ·····················1/2片（15g）
沙拉油 ·················1小匙
A ┌ 米酒 ·················1小匙
　└ 醬油 ·················1小匙

把小松菜切成5mm寬，豆皮切成5mm
的小塊。用油炒過後，再加入已經混合
好的A，炒到湯汁收乾。

味噌炒青椒

| 90kcal | 5分鐘 |

青椒 ·····················2個（80g）
紅蘿蔔 ·················20g
麻油 ·····················1小匙
A ┌ 味噌 ·················1/2大匙
　└ 味醂 ·················1/2大匙

把青椒切成四等分，紅蘿蔔切成半月形
的薄片。一起用油炒過以後，倒進A和
勻。

快手拌炒
超Easy！

香蒜辣椒美白菇

90kcal　5分鐘

美白菇	80g
橄欖油	2小匙
A 大蒜（切末）	1/2小片
紅辣椒（切小圈）	少許
鹽、胡椒	各少許

美白菇分成小朵。用油輕炒A料後，加入美白菇拌炒，再撒上鹽、胡椒。

酸橘醋炒馬鈴薯

97kcal　8分鐘

馬鈴薯	1/2顆（70g）
西洋芹	20g
沙拉油	1小匙
酸橘醋醬油	1大匙

把馬鈴薯和西洋芹切成細絲。用油炒至油亮後，再混入酸橘醋醬油。

醬燒洋蔥

67kcal　5分鐘

洋蔥	1/3顆（70g）
沙拉油	1小匙
蠔油	1小匙
荷蘭芹末	少許

保留洋蔥的尾部，切成6～7mm厚的梳子形。用油將兩面煎至變軟以後，倒進醬汁拌勻。最後撒上荷蘭芹末。

魚露炒香菇

61kcal　5分鐘

香菇	3朵（45g）
蔥	1/3支（30g）
沙拉油	1小匙
A 魚露	1小匙
壽司醋	1小匙

香菇去蒂後，切成一口大小。蔥切成3cm的長段。一起放進油鍋炒至變色後，倒進A混勻。

奶油醬油炒洋蔥

116kcal　5分鐘

洋蔥	1/3顆（70g）
玉米	2大匙（20g）
奶油	10g
醬油	少許
荷蘭芹（切末）	少許

把洋蔥切成粗塊。用奶油炒過後，加入玉米，倒進醬油拌勻。最後撒上荷蘭芹末。

梅乾炒馬鈴薯

94kcal　8分鐘

馬鈴薯	1/2顆（80g）
沙拉油	1小匙
梅乾果肉	1/2大匙
鹽、胡椒	各少許

把馬鈴薯切成薄片。用油炒至油亮後，再拌入梅乾、鹽、胡椒和勻。

咖哩粉炒豆芽

64kcal　5分鐘

豆芽菜‧‧‧‧‧‧‧‧‧‧‧‧‧‧‧‧‧‧‧70g
紅蘿蔔‧‧‧‧‧‧‧‧‧‧‧‧‧‧‧‧‧‧‧20g
沙拉油‧‧‧‧‧‧‧‧‧‧‧‧‧‧‧‧‧‧‧1小匙
咖哩粉‧‧‧‧‧‧‧‧‧‧‧‧‧‧‧‧‧‧‧1/3小匙
壽司醋‧‧‧‧‧‧‧‧‧‧‧‧‧‧‧‧‧‧‧1小匙

紅蘿蔔切絲。用油炒過紅蘿蔔和豆芽菜
以後，混入咖哩粉攪拌均勻。最後加入壽
司醋，熄火。

快炒蕃茄 & 茗荷

61kcal　3分鐘

迷你蕃茄‧‧‧‧‧‧‧‧‧‧‧‧‧‧‧‧5顆（70g）
茗荷‧‧‧‧‧‧‧‧‧‧‧‧‧‧‧‧‧‧‧‧‧1顆
沙拉油‧‧‧‧‧‧‧‧‧‧‧‧‧‧‧‧‧‧‧1小匙
醬油‧‧‧‧‧‧‧‧‧‧‧‧‧‧‧‧‧‧‧‧‧1/2小匙

把蕃茄對半切成兩半，茗荷切成小圓
片。用油將蕃茄迅速炒過以後，加入茗
荷、醬油拌炒，即可熄火。

辣炒茄子

64kcal　5分鐘

茄子‧‧‧‧‧‧‧‧‧‧‧‧‧‧‧‧‧‧‧‧‧1大個（90g）
沙拉油‧‧‧‧‧‧‧‧‧‧‧‧‧‧‧‧‧‧‧1小匙
甜辣醬*‧‧‧‧‧‧‧‧‧‧‧‧‧‧‧‧‧‧1/2大匙

把茄子切成細條，再對半切。用油炒軟
後，關火，拌入辣椒蕃茄醬。
*所謂的甜辣醬就是加了辣椒、大蒜等辛
香料的調味醬，吃起來酸酸甜甜，屬於東
南亞菜色的口味。

醬炒豆芽

139kcal　5分鐘

豆芽菜‧‧‧‧‧‧‧‧‧‧‧‧‧‧‧‧‧‧‧100g
蔥（切末）‧‧‧‧‧‧‧‧‧‧‧‧‧‧‧1～2支
豬五花薄片‧‧‧‧‧‧‧‧‧‧‧‧‧‧20g
沙拉油‧‧‧‧‧‧‧‧‧‧‧‧‧‧‧‧‧‧‧1小匙
蒜末‧‧‧‧‧‧‧‧‧‧‧‧‧‧‧‧‧‧‧‧‧1/4小匙
蠔油‧‧‧‧‧‧‧‧‧‧‧‧‧‧‧‧‧‧‧‧‧1/2大匙

把豬肉切成1cm寬。用油爆香大蒜和肉
片，再加入豆芽菜輕輕拌炒。淋上蠔油
後，裝盤、撒上蔥花。

蕃茄炒蛋

134kcal　5分鐘

蕃茄‧‧‧‧‧‧‧‧‧‧‧‧‧‧‧‧‧‧‧‧‧1/2個（100g）
蛋‧‧‧‧‧‧‧‧‧‧‧‧‧‧‧‧‧‧‧‧‧‧‧1個
高湯粉‧‧‧‧‧‧‧‧‧‧‧‧‧‧‧‧‧‧‧少許
沙拉油‧‧‧‧‧‧‧‧‧‧‧‧‧‧‧‧‧‧‧1小匙

把蕃茄切成四等分。蛋汁打散後加入
高湯粉攪勻。用油將蕃茄的兩面略微
煎過以後往旁邊放，再把蛋汁打進平
底鍋內，做成半熟蛋。熄火後略微攪
拌即可。

炒茄子

94kcal　5分鐘

茄子‧‧‧‧‧‧‧‧‧‧‧‧‧‧‧‧‧‧‧‧‧1大個（90g）
沙拉油‧‧‧‧‧‧‧‧‧‧‧‧‧‧‧‧‧‧‧2小匙
薑末‧‧‧‧‧‧‧‧‧‧‧‧‧‧‧‧‧‧‧‧‧1/2小匙
醬油‧‧‧‧‧‧‧‧‧‧‧‧‧‧‧‧‧‧‧‧‧少許

把茄子切成5～6mm厚的圓片。攤平在
平底鍋內，把沙拉油均勻地倒在所有的
茄子上，點火炒熟。裝盤後，放上薑末
和淋上醬油即可。

以微波爐統一加熱！

這種方法是把所有的蔬菜放進微波爐一次加熱。這麼一來，不論是水煮還是清蒸蔬菜，都能在短時間完成；而且營養也不易流失。

＊菠菜和白蘿蔔不太適合微波加熱。用汆燙的方式料理，才能去除澀味和怪味。如果希望牛蒡和蓮藕在微波後能維持漂亮的色澤，可以先浸泡在醋水裡再加熱。

1 把蔬菜切成適當的大小。

＊芋薯類和紅蘿蔔較硬的根莖類蔬菜，先切薄片較易熟透。

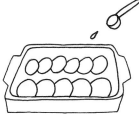

2 把蔬菜攤平在耐熱容器內，倒進少量的水。

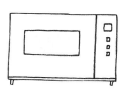

3 用保鮮膜包住容器，放進微波爐加熱。

（每100g蔬菜大約加熱1～2分鐘）

＊加熱後，可以直接淋上醬料享用，或者略微炒過再調味。

綜合蔬菜沙拉

167kcal │ **15**分鐘

材料 2人份

［蔬菜　約400g］

馬鈴薯	1個（150g）
南瓜	60g
杏鮑菇	2根（60g）
紅椒	1/3個（50g）
洋蔥	1/2個（100g）

［調味］

月桂葉（撕碎）＊	1～2片
橄欖油	1大匙
鹽、胡椒	各少許

＊月桂葉用新鮮的或乾燥的都可以。改用百里香或迷迭香也無妨。

作法

❶ 把馬鈴薯和南瓜切成6～7mm厚的半月形或扇形，其他蔬菜切成容易食用的大小。

❷ 把蔬菜放進耐熱皿攤平開來，灑上1大匙水（另外的材料）。

❸ 用保鮮膜包好後，放進微波爐加熱約4分鐘，再把多餘的水分瀝掉。

最後用橄欖油將加熱的蔬菜和月桂葉略微拌炒，再撒上鹽和多一點的胡椒即可。

一下子就做好了

只要微波爐一按，不論是清蒸還是汆燙蔬菜都能馬上完成。利用微波爐加熱的話，連外面便當店賣的綜合蔬菜沙拉也做得出來。只要把蔬菜一起放進微波爐，再用平底鍋稍微炒一下就好了。

油煎馬鈴薯沙拉

300kcal | **15分鐘**

材料 2人份

[蔬菜　約400g]

馬鈴薯	2個（250g）
洋蔥	1/2顆（100g）
青花椰	1/4顆（50g）

[培根等]

培根（切厚片）	60g
沙拉油	1/2大匙
奶油	10g
鹽、胡椒	各少許

作法

❶ 把馬鈴薯切成5mm厚的半月形，洋蔥切成6～8塊的梳子形。青花椰切成1cm寬，培根切成5mm的小丁。

❷ 把馬鈴薯和洋蔥放在耐熱容器裡攤平，再倒進水1大匙（另外的材料）。

❸ 用保鮮膜包好後，放進微波爐加熱5分鐘。再倒掉多餘的水分。
用平底鍋熱油後，放進培根炒過，再加入奶油、加熱過的蔬菜、青花椰輕輕拌炒，撒上鹽和胡椒調味。

縮短調理時間

料理的方法非常簡單，只要把切好的洋蔥和馬鈴薯一起放進微波爐加熱，再和培根炒一下就完成了。為了讓料理的顏色更好看，這次在最後加了青花椰；加熱青花椰時，也可以一起放進微波爐加熱。

馬鈴薯尼斯沙拉

182kcal | **15**分鐘

材料 **2人份**

[蔬菜　約350g]

馬鈴薯	1大個（200g）
紅蘿蔔	1/2條（100g）
四季豆	6根（50g）

[鯷魚等]

鯷魚	2條（10g）
水煮蛋 (切圓片)	1顆
黑橄欖切片	6～7片 (5g)
美乃滋	1大匙

作法

❶ 把馬鈴薯切成7～8mm厚，紅蘿蔔切成5mm的扇形。四季豆對半切。

❷ 把❶放進耐熱容器攤平開來，再淋上1大匙水（另外的材料）。

❸ 用保鮮膜包起來，放進微波爐加熱約4分30秒。倒掉多餘的水分後，裝盤。再鋪上蔬菜以外的食材，淋上美乃滋。

利用家裡現成的蔬菜

這道沙拉的馬鈴薯沒有搗成泥。洋蔥、青花椰、南瓜等，都可以一起放進微波爐加熱。如果再鋪上蝦子、煙燻鮭魚、蕃茄等，口感不但更加豐富，看起來也更賞心悅目。

長芋&根莖類蔬菜拌酸橘醋

118kcal｜**15**分鐘

材料 2人份

[蔬菜　約250g]

長芋	150g
蓮藕	50g
牛蒡	50g
水菜	30g

[調味料等]

橄欖油	1/2大匙
酸橘醋	1・1/2大匙
柴魚片	適量

作法

① 削掉長芋和蓮藕皮，各分成4～5cm長的6等份。牛蒡削皮後，斜切成薄片。把牛蒡和蓮藕放進醋水（在1杯水裡加上1小匙醋）稍微浸泡後，瀝乾多餘的水分。

② 把①放進耐熱容器攤平，淋上兩大匙水（另外的材料）。

③ 用保鮮膜包好後，放進微波爐加熱約5分鐘。瀝掉多餘的水分。把水菜切成容易食用的大小，裝盤。
用油迅速將加熱後的蔬菜炒過，拌入酸橘醋和醬油。再撒上柴魚片。

檸檬地瓜

175kcal｜**15**分鐘

材料 2人份

[蔬菜　約300g]

地瓜	150g
紅蘿蔔	1/4條（50g）
洋蔥	1/2顆（100g）

[調味料等]

檸檬（切成扇形薄片）	1/4個
沙拉油	1/2大匙
砂糖	1大匙
鹽	少許
義大利巴西里（裝飾用）	少許

作法

① 把地瓜連皮切成5mm厚，紅蘿蔔切成2mm厚的圓薄片。地瓜泡水後把水分瀝乾。以逆著纖維的方向，把洋蔥切成5mm厚。

② 把①放進耐熱容器攤平，倒進水1大匙（另外的材料）。

③ 用保鮮膜包好後，以微波爐加熱6分鐘，再瀝掉多餘的水分。
和檸檬一起用油迅速炒過，再撒上砂糖和鹽。

用地瓜和根莖葉蔬菜做成的沙拉，不但飽足感十足，還能攝取到大量的食物纖維。做法相當簡便，只要先放進微波加熱，再淋上醬汁就OK了。

蠔油燴南瓜

155kcal | **15**分鐘

材 料 2人份

[蔬菜　約450g]

南瓜	**250g**
舞茸	**1袋（100g）**
蔥	**1/2支（50g）**
青椒	**1個（50g）**

[調味料等]

麻油	**1/2大匙**
蠔油	**1/2大匙**

南瓜是很適合微波加熱的食材，和汆燙相比，較能保持完整的營養素。這次的作法是微波後，再淋上蠔油，料理成一道很下飯的菜餚。和蒜苗一起料理也很對味。

很適合微波喔

作 法

❶ 把南瓜切成4～5mm厚，蔥切成4～5cm長段，舞茸分成小瓣。

❷ 把蔬菜❶放進耐熱容器攤平，倒進水1大匙（另外的材料）。

❸ 用保鮮膜包好後，以微波爐加熱約5分鐘。再把多餘的水分瀝掉。
接著用麻油將蔬菜略微拌炒，再淋上蠔油。最後撒上切成5mm小丁的生青椒。

蒸蔬菜

這道料理的作法是把雞肉和蔬菜同時放進微波爐加熱。事先在肉片劃幾刀,可以讓肉快點變熟。

韓式醬汁蒸蔬菜&雞肉

246kcal | **20分鐘**

材料 2人份

[蔬菜 約250g]

高麗菜	200g
山茼蒿	50g
蔥(蔥白部分)	1/4根(25g)

[肉類等]

雞腿肉		150g
A	鹽	少許
	米酒	1小匙
B	蔥(蔥綠部分)	10g
	薑(切成薄片)	1塊(10g)

[韓式醬汁]

苦椒醬、白芝麻	各1大匙
醬油、麻油	各1/2大匙
砂糖、醋	各1/2小匙

作 法

❶ 用叉子多戳幾次雞腿肉的外皮,並在肉質較厚的部分劃下幾刀。撒上A抹勻。
高麗菜切一口大小;先把山茼蒿的葉菜切開,其餘部分再切2~3cm長的小段。蔥斜切成段,和山茼蒿的菜葉各自放水中浸泡一下,可增添鮮綠度。

❷ 把高麗菜和山茼蒿的莖放進耐熱容器,鋪上雞肉後,再把B放在肉上。灑上米酒(材料外)1大匙。

❸ 用保鮮膜包好後,放進微波爐加熱約6分鐘。挑起B,將雞腿肉切片,和高麗菜和山茼蒿的菜葉一起盛入盤內。混合醬汁的材料後倒進盤內,再鋪上❶的蔥段。

蒸豬肉片

349kcal | **20**分鐘

材料 2人份

[蔬菜　約300g]

黃豆芽	1袋（**150g**）
高麗菜	**100g**
蔥	1/2支（**50g**）
珠蔥	1/3把（**30g**）

[肉片等]

豬五花薄片
（或者涮涮鍋的肉片）…… **100g**

A{ 米酒 …… 1大匙
　麻油 …… 1大匙

白芝麻 …… 2小匙

烤肉醬（市售品）* …… 4大匙

＊也可以準備下列的調味料（醋2
大匙　醬油1大匙　豆瓣醬和麻油
各1/2大匙　薑末1/2小匙）取代烤
肉醬。

作法

❶ 拔掉黃豆芽的鬚根；高麗菜
切成適當的大小。蔥先縱切
成兩半，再切成**5～6cm**的
長段。珠蔥也切成同樣的長
度。

❷ 把蔬菜疊入耐熱容器，再蓋
上肉片攤平。灑上**A**。

❸ 用保鮮膜包好後，放進微波
爐加熱約6分鐘。撒上芝麻，
再淋上烤肉醬即可開動。

還簡單！
作法比蒸的

作法非常簡單，只要把薄肉片鋪在
蔬菜上加熱至熟就好了。除了蔥，
如果再加點鴨兒芹、芹菜、牛蒡絲
等香味蔬菜，味道會更為鮮美。最
後只要淋上市售的烤肉醬或辣油，
馬上就可以大快朵頤。

熱鰻魚醬佐燙蔬菜

235kcal | **15**分鐘

材料 2人份

[蔬菜　約550g]

蕪菁	2個（200g）
綠蘆筍	2條（40g）
馬鈴薯	1/2個（100g）
青花椰（或白花椰）	1/4顆（50g）
洋蔥（白色或紫色）	1/2顆（100g）
彩椒	1/2個（70g）

[鰻魚沾醬]

鰻魚	3～4片（20g）
大蒜（磨成泥）	1片（10g）
橄欖油	2大匙

作 法

❶ 削掉蘆筍根部的硬皮，其他蔬菜切成一口大小。

❷ 把蔬菜放進耐熱容器內攤平，灑上2大匙水（另外的材料）。

❸ 用保鮮膜包好後，放進微波爐加熱約4分鐘。時間到了以後，馬上把蘆筍放進水中降溫。再倒掉容器內多餘的水分。

把鰻魚放進小鍋子，用湯匙背面壓扁，混入蒜泥和橄欖油。接著開小火加熱。將蔬菜沾上醬料就可以享用了。

熱騰騰的醬汁

只經過汆燙或水煮的料理方式不但簡單，而且還能品嚐到蔬菜的原味。如果希望美味升級，醬汁會是很棒的幫手。這道料理用的蘸醬保留了鰻魚的鮮味，有畫龍點睛的效果。

燙蔬菜佐花生醬

118kcal | **15分鐘**

材料 2人份

[蔬菜 約350g]

高麗菜	100g
豆芽菜	50g
青花椰	1/4顆（50g）
紅蘿蔔	1/4條（50g）
蕃茄	1/2個（100g）

[其他]

生油豆腐	1/2塊（100g）
水煮蛋	1個

[花生沙拉醬]

花生奶油醬*	1大匙
蠔油醬	1小匙
醬油	1小匙
醋	2小匙
水	1大匙

*如果能準備有顆粒的
花生醬更好。
記得選用含糖的花生醬。

作法

❶ 把高麗菜和青花椰切成一口大小，紅蘿蔔斜切成薄片。豆芽菜拔去根鬚。把油豆腐切成1cm寬，再用保鮮膜包好。

❷ 把蔬菜❶放進耐熱容器排好，鋪上用保鮮膜包好的油豆腐。在蔬菜淋上水2大匙（材料外）。

❸ 把所有的材料用保鮮膜包起來，放進微波爐加熱約4分鐘。再瀝掉多餘的水分。
混合花生醬材料。蕃茄、水煮蛋切入口大小後裝盤。

這道印尼風味的醬汁味道濃郁，讓人欲罷不能。加熱前，先用保鮮膜把油豆腐包起來的用意是，避免豆腐的味道沾染到蔬菜，這樣才能充分享受到豆腐和蔬菜的滋味。

把放進去微波爐加熱！

香茄沙拉

芝麻醬 **157**kcal 蠔油醬 **103**kcal │ **15**分鐘

材料 2人份

[蔬菜 約300g]

茄子	3個（210g）
蔥	1根（100g）
A 大蒜（切末）	1片（10g）
辣椒（切小圈）	1小支

[其他]

豆包	1片（25g）

[醬汁]

● 芝麻醬汁

芝麻醬、味醂	各1大匙
醬油	1/2大匙

● 蠔油醬汁

砂糖、蠔油	各1小匙
米酒、醬油	各1大匙

作 法

❶ 把茄子分為8等分。蔥切成3～4cm長，豆皮切成1cm寬。

❷ 把❶放進耐熱容器攤平，再撒上A。倒進2大匙水（材料外）。

❸ 用保鮮膜包好後，放進微波爐加熱約5分鐘。再瀝掉多餘的水分。
把喜好的醬汁材料混在一起，再淋在蔬菜上即可享用。
（照片中的醬汁是芝麻醬）

蔬菜拌海帶芽的湯豆腐沙拉

98kcal │ **15**分鐘

材 料 2人份

[蔬菜 約150g]

高麗菜	100g
紅蘿蔔	30g
秋葵	2～3根（20g）

[其他]

木棉豆腐	1/2塊（150g）
乾燥海帶芽	2大匙（8g）

[梅子醬汁]

梅乾果肉	1大匙
醬油	1/4小匙
味醂、水	各1大匙

作 法

❶ 把高麗菜切成細絲，紅蘿蔔切成薄片。秋葵縱切成兩半，豆腐分為6等分。

❷ 把乾燥的海帶芽放進耐熱容器內攤平，鋪上豆腐。再把蔬菜放在豆腐上面。淋上水2大匙（材料外）。

❸ 用保鮮膜包好後，放進微波爐加熱約4分鐘即可裝盤。
將醬汁的材料混勻，淋在蔬菜上。

豆腐的水氣可以軟化海帶芽，還能把蔬菜煮熟，可說是一石三鳥。這道沙拉不但份量十足，吃起來也很健康；而且，只要一下子就能完成。

蒸三色蔬菜沙拉

244kcal | **15**分鐘

材料 2人份

[蔬菜　約350g]

青花椰	150g
紅蘿蔔	1/2條（100g）
南瓜	100g
大蒜	1小片（5g）

[起司沙拉醬]

藍黴起司*	30g
紅酒醋（或者白醋）	2大匙
橄欖油	2大匙
胡椒	少許

＊藍黴起司的特徵是味道強烈，
而且吃起來很鹹。如果吃不習慣，
改用起司奶油也可以。

作法

★ 把醬汁要用的起司放進碗
　中，用打蛋器打散。分次加
　入醋，使其變得平滑柔順。
　加入橄欖油仔細攪拌後，再
　撒點胡椒調味。

❶ 把青花椰分成小朵，南瓜切
　成1cm厚、2～3cm寬的小
　塊，紅蘿蔔切成稍薄的薄
　片。

❷ 把❶放進耐熱容器內攤平，
　撒上切成薄片的大蒜，再倒
　進水1大匙（材料外）。

❸ 用保鮮膜包好後，放進微波
　爐加熱約4分30秒。瀝掉多
　餘的水分。裝盤後淋上沙拉
　醬即可。

這三種蔬菜都含有大量
的維生素，尤其是β－
胡蘿蔔素的含量更是豐
富。β－胡蘿蔔素在體內
能轉換為維生素A，能
強化黏膜與皮膚，並增
加抵抗力。大蒜蒸過以
後，仍保留了營養素，可
以替身體帶來活力。

微波一下
就OK！

秋葵蕃茄沙拉

| 45kcal | 3分鐘 |

秋葵⋯⋯⋯⋯⋯⋯6條（40g）
迷你蕃茄⋯⋯⋯⋯2個
A ┌ 醬油⋯⋯⋯⋯⋯⋯1/2小匙
  └ 醋、沙拉油⋯⋯⋯各1小匙

秋葵切成小塊後，放進微波爐加熱約30秒鐘。蕃茄一切為四，和秋葵一起拌入A攪勻。

酸甜高麗菜

| 43kcal | 5分鐘 |

高麗菜⋯⋯⋯⋯⋯⋯70g
  ┌ 壽司醋⋯⋯⋯⋯⋯1大匙
A │ 麻油⋯⋯⋯⋯⋯⋯1/2小匙
  └ 辣椒（切小圈）⋯少許

高麗菜隨意切成幾大塊，放進微波爐加熱約1分鐘。把A的材料混勻後，倒進高麗菜拌勻。

青花椰拌沾麵醬美乃滋

| 106kcal | 3分鐘 |

青花椰⋯⋯⋯⋯⋯⋯70g
  ┌ 美乃滋⋯⋯⋯⋯⋯1大匙
A │ 沾麵醬（濃縮2～3倍的原液）
  └ ⋯⋯⋯⋯⋯1/3～1/2小匙

把青花椰切成小朵，放進微波爐加熱。再倒進混合的A攪拌均勻。

秋葵＆高麗菜熱沙拉

| 169kcal | 4分鐘 |

秋葵⋯⋯⋯⋯⋯⋯4條（30g）
高麗菜⋯⋯⋯⋯⋯⋯40g
培根⋯⋯⋯⋯⋯⋯1片（20g）
  ┌ 醋、橄欖油⋯⋯⋯各2小匙
A │ 芥末粒⋯⋯⋯⋯⋯1小匙
  └ 鹽、胡椒⋯⋯⋯⋯各少許

削掉秋葵的蒂頭，再斜切成兩半。高麗菜和培根切成細絲後，一起放進微波爐加熱約1分鐘。再倒進混合的A攪拌均勻。

紫色高麗菜沙拉

| 105kcal | 5分鐘 |

紫高麗菜⋯⋯⋯⋯⋯70g
葡萄乾⋯⋯⋯⋯⋯⋯1大匙
A ┌ 醋、沙拉油⋯⋯⋯各1/2大匙
  └ 鹽、胡椒⋯⋯⋯⋯各少許

把高麗菜切成細絲，和葡萄乾一起放進微波爐加熱約1分鐘。最後倒進A攪拌均勻即可。

昆布鹽味青花椰

| 29kcal | 3分鐘 |

青花椰⋯⋯⋯⋯⋯⋯70g
鹽味昆布
（昆布佃煮也可以）⋯⋯5g

把青花椰切成小朵，放進微波爐加熱。再和鹽味昆布混勻即可。

＊佃煮：用醬油、味醂、砂糖燉煮的日式小菜。

涼拌甜豌豆

67kcal　5分鐘

甜豌豆......................70g
蟹味棒......................2條
A 醬油........................1小匙
　 米酒........................1/2小匙
　 柴魚片....................少許

甜豌豆去筋後，以微波爐加熱約1分30
秒。把蟹味棒撕成細條後，再和A拌勻。

甜豌豆＆溫泉蛋

106kcal　5分鐘

甜豌豆......................70g
蛋..............................1個
鹽、胡椒..................各少許

❶把蛋打進深度像湯碗一樣高的容器，
倒進淹過雞蛋的水量。用牙籤在蛋黃膜
上戳一下，用保鮮膜包起容器，放進微
波爐加熱40秒～1分鐘。加熱完畢後，
倒掉多餘的水分（溫泉蛋）。

❷甜豌豆去筋後，以微波爐加熱約1分
30秒。裝盤後，把蛋放在上面，撒上
鹽和胡椒調味。

蒸蘆筍

56kcal　3分鐘

綠蘆筍......................4條（80g）
　 橄欖油....................1小匙
A 鹽、胡椒................各少許
　 起司粉....................少許

把蘆筍切成5cm的小段，再放進微波爐
加熱約1分鐘。倒掉多餘的水分後，依
序淋上A調味。

美乃滋苦椒醬
拌蘆筍

58kcal　4分鐘

綠蘆筍......................4條（80g）
A 美乃滋....................1/2大匙
　 苦椒醬....................1/3小匙

把蘆筍斜切成4cm的長段，再放進微波
爐加熱約1分鐘。最後與A攪拌均勻即
可。

四季豆佐千島醬

66kcal　3分鐘

四季豆......................70g
A 美乃滋·
　 蕃茄醬....................各1/2大匙

以微波爐加熱四季豆約1分30秒。倒掉多
餘的水分後，把四季豆切成5～6cm長，
再淋上A。

四季豆炒豆腐

62kcal　5分鐘

四季豆......................50g
紅蘿蔔......................20g
豆腐..........................1/6塊（50g）
沾麵醬
（濃縮2～3倍的原液）
................................1ι1/2～2小匙

四季豆斜切成薄片；紅蘿蔔切絲。把四
季豆和紅蘿蔔鋪在容器內，再放上豆
腐，一起放進微波爐加熱約2分鐘。倒
掉多餘的水分，邊用叉子把豆腐撥成小
塊，邊和蔬菜攪拌均勻。最後淋上沾麵
醬。

微波一下 就OK！

蓮藕沙拉

| 70kcal | 5分鐘 |

蓮藕	60g
醋水 ⎰ 水	1/2杯
⎱ 醋	1/2小匙
小蕃茄（對半切）	2個
A ⎰ 醋、橄欖油	各1小匙
⎱ 鹽、胡椒	各少許

把蓮藕切成2mm厚的圓片或半月切。和醋水一起放進容器內，以微波爐加熱約1分30秒。最後和小蕃茄一起拌入A。

涼拌韭菜

| 25kcal | 5分鐘 |

韭菜	80g
A ⎰ 酒	1小匙
⎱ 醬油	1小匙
柴魚片	少許

把略加汆燙的韭菜切成3cm長，瀝乾水分。倒進A，等到韭菜充分入味，再次將韭菜輕輕擰乾。最後鋪上柴魚屑即可。

韓式涼拌菠菜

| 107kcal | 8分鐘 |

| 菠菜 | 100g |
| 松子 | 少許 |

［調味料］
| 白芝麻、麻油 | 各1/2大匙 |
| 醬油 | 1小匙 |

菠菜汆燙後將水分瀝乾，切成4cm長。倒入調味料拌勻後，再撒上松子。

蓮藕豆皮

| 113kcal | 7分鐘 |

蓮藕	80g
豆皮	1/2片（15g）
A ⎰ 沾麵醬	
（濃縮2～3倍的原液）	
	1/2～1大匙
⎱ 醋	1小匙

蓮藕切滾刀塊；豆皮切成1cm寬。把蓮藕、豆皮和A一起放進容器內，以微波爐加熱約3分鐘。加熱的過程中，要拿出來翻面一次。

醋拌韭菜

| 52kcal | 5分鐘 |

韭菜	80g
魚板	20g
A ⎰ 味噌	1小匙
⎱ 壽司醋	1小匙

把略加汆燙的韭菜切成3cm長，瀝乾水分。魚板切成細條，用A一起和韭菜攪拌均勻。

涼拌菠菜

| 23kcal | 5分鐘 |

菠菜	100g
柴魚片	少許
醬油	少許

菠菜汆燙後將水分瀝乾，切成5～6cm長。淋上醬油後，撒上柴魚片。

沾麵醬佐彩椒

24kcal **13分鐘**

彩椒（選擇喜歡的顏色）…… 1/2個（70g）
沾麵醬（調成適宜的濃度）
　　　　　　　　　　　　…… 1‧1/2大匙
細蔥花 …………………………… 少許

把彩椒切成2cm的小塊。放進微波爐加
熱約1分鐘後，瀝掉多餘的水分，再淋上
沾麵醬。放置10分鐘後，撒上蔥花即可。

奶油起司拌彩椒

88kcal **5分鐘**

彩椒（選擇喜歡的顏色）…… 1/2個（70g）
奶油起司 …………………………… 20g
鹽 ………………………………… 少許
粗粒黑胡椒 ……………………… 少許

把彩椒切成細條，以微波爐加熱約1分
鐘。瀝乾水分後，撒上鹽巴。將起司搗
碎軟化後，拌入彩椒攪勻，再撒上大量
胡椒粒。

榨菜拌舞茸

54kcal **5分鐘**

舞茸 ……………………………… 80g
榨菜（已調味）………………… 15g
A ┌ 醬油 …………………… 1/2小匙
　└ 麻油 …………………… 1小匙

把舞茸分成小瓣，榨菜切成細絲。一起
放進微波爐加熱約1分30秒。瀝掉水分
後，倒進A拌勻。

涼拌金針菇

25kcal **13分鐘**

金針菇 …………………… 1/2袋（50g）
彩椒 ……………………………… 30g
沾麵醬（調成適宜的濃度）
　　　　　　　　　　　　…… 1‧1/2大匙

彩椒切成細絲後，和金針菇一起裝入容
器，微波加熱約1分鐘。瀝乾水分後，
淋上沾麵醬，再靜置10分鐘即可。

麻油拌茄子

43kcal **5分鐘**

茄子 ……………………………… 1個（80g）
蔥（斜切成薄片）…………… 10cm
A ┌ 酸橘醋醬油 …………… 1小匙
　└ 麻油 …………………… 1/2小匙

切掉茄子的蒂頭，整條用保鮮膜包起來，
放進微波爐加熱約2分30秒。縱切成細
條，和蔥花一起淋上A即可。

豆瓣醬茄子

37kcal **5分鐘**

茄子 ……………………………… 1個（80g）
水菜 ……………………………… 10g
A ┌ 味噌 …………………… 1/2小匙
　├ 豆瓣醬 ………………… 1/6小匙
　└ 味醂 …………………… 1小匙

茄子縱切成兩半後，以微波爐加熱約1
分30秒。削皮後撕成細條。水菜切成
3cm長，再和茄子一起淋上A拌勻。

微波一下 就OK！

紅蘿蔔拌醃漬薑片

`39kcal` `5分鐘`

紅蘿蔔……………………70g
薑（切絲）………………1小片（5g）
壽司醋……………………1大匙

把紅蘿蔔切成4～5mm厚的半月形，再放入微波爐加熱約2分30秒。淋上薑絲和壽司醋攪拌即可。

芝麻醋拌牛蒡

`86kcal` `10分鐘`

牛蒡………………………70g

[芝麻醋]
白芝麻……………………1大匙
壽司醋……………………1大匙
鹽…………………………少許

把牛蒡縱切成4～6份，長約5cm長。汆燙約5分鐘後，倒入芝麻醋攪拌均勻。

芝麻醬拌里芋

`86kcal` `8分鐘`

里芋………………………1大個（90g）
　┌黑芝麻………………1小匙
A│芝麻醬………………1/2小匙
　└味醂·醬油…………各1/2小匙

里芋連皮放進微波爐加熱約3分鐘（中途要翻面一次）。削皮，用叉子搗碎後，混入A拌勻。

蜂蜜檸檬紅蘿蔔

`50kcal` `5分鐘`

紅蘿蔔……………………70g
檸檬薄片…………………2～3片
蜂蜜………………………1小匙

把紅蘿蔔切成3～4cm長的薄片，檸檬切成扇形。放入器皿後，淋上蜂蜜，再放進微波爐加熱約2分30秒。

咖哩牛蒡沙拉

`207kcal` `10分鐘`

牛蒡………………………70g
火腿………………………1片
　┌咖哩粉………………1/2小匙
A│美乃滋………………1·1/2大匙
荷蘭芹……………………少許

把牛蒡切成5cm長的細條，再汆燙5分鐘。火腿切成細絲。用A拌勻牛蒡和火腿後，再混入荷蘭芹。

里芋佐甜味噌

`75kcal` `8分鐘`

里芋………………………1大個（90g）
柚子皮屑
（炒過的芝麻也可以）…少許

[甜味噌]
味噌………………………1小匙
砂糖………………………1/2小匙
味醂………………………1小匙

地瓜連皮放進微波爐加熱約3分鐘（中途要翻面一次）。削皮，切成一口大小。最後淋上甜味噌和柚子皮即可。

醬漬南瓜

72kcal　7分鐘

南瓜⋯⋯⋯⋯⋯⋯⋯⋯80g
沾麵醬（調成適宜的濃度）
⋯⋯⋯⋯⋯⋯⋯⋯⋯1大匙

把南瓜切成5mm厚。放進容器以微波爐加熱約2分30秒。倒入沾麵醬調味。

芝麻味噌拌苦瓜

36kcal　7分鐘

苦瓜⋯⋯⋯⋯⋯⋯⋯⋯80g
　┌味噌⋯⋯⋯⋯⋯⋯1小匙
A│砂糖⋯⋯⋯⋯⋯⋯1/2小匙
　└白芝麻⋯⋯⋯⋯⋯1小匙

把苦瓜縱切成4份，再切成薄片。用滾水汆燙1分鐘後，拌上A即可。

茶巾地瓜

134kcal　10分鐘

地瓜⋯⋯⋯⋯⋯⋯⋯⋯80g
牛奶⋯⋯⋯⋯⋯⋯⋯1小匙
奶油起司⋯⋯⋯⋯⋯10g

地瓜沾水後，連皮用保鮮膜包好，放進微波爐加熱約2分30秒。去皮後用保鮮膜包起來，把地瓜壓成碎泥，再淋上牛奶攪拌均勻。攤平後，先鋪上起司，再用紗巾撐成圓形。

南瓜沙拉

135kcal　10分鐘

南瓜⋯⋯⋯⋯⋯⋯⋯⋯70g
杏仁片⋯⋯⋯⋯⋯⋯⋯5g
玉米（水煮或罐頭）⋯10g
　┌美乃滋⋯⋯⋯⋯1/2大匙
A│
　└鹽、胡椒⋯⋯⋯各少許

把杏仁片放進平底鍋輕輕炒過。把南瓜切成4～5cm的小塊，以微波爐加熱約2分30秒。連皮用叉子搗碎，再拌入A。最後拌入杏仁片和玉米就可以了。

涼拌苦瓜

21kcal　5分鐘

苦瓜⋯⋯⋯⋯⋯⋯⋯⋯80g
沾麵醬（濃縮2～3倍的原液）
⋯⋯⋯⋯⋯⋯1・1/2～2小匙
柴魚片⋯⋯⋯⋯⋯⋯⋯少許

將苦瓜縱切成兩半再切成薄片。用滾水汆燙1分鐘後，淋上沾麵醬和撒上柴魚片。

地瓜果乾沙拉

237kcal　7分鐘

地瓜⋯⋯⋯⋯⋯⋯⋯⋯70g
果乾（杏桃、葡萄乾、黑棗乾等）
⋯⋯⋯⋯⋯⋯⋯⋯⋯20g

［法式沙拉醬］
醋⋯⋯⋯⋯⋯⋯⋯⋯⋯1大匙
沙拉油⋯⋯⋯⋯⋯⋯⋯1大匙
鹽、胡椒⋯⋯⋯⋯⋯各少許

連皮把地瓜切成1.5cm的小塊，再放進水裡浸泡。把果乾切成1cm左右的小丁後，和地瓜一起放進微波爐加熱約2分30秒。最後淋上沙拉醬就完成了。

把生菜變美味一口接一口！

生菜的份量驚人，吃起來也略嫌滋味平淡；即使想大量攝取，卻遠比想像中困難。不過只要知道下列3種方法，就算生菜很多，也能輕鬆吃光光！

A 鹽味生菜

● 以鹽巴搓揉

可以讓份量看起來沒有那麼驚人，也更好入口。

B 醃漬生菜

● 做成泡菜

做成淺漬泡菜或醬菜的話，要吃的時候就很方便了。而且可以吃到很充足的量。

C 配菜沙拉

● 搭配蛋白質一起吃

魚肉或肉類的鮮味搭配清爽的蔬菜，有相得益彰的效果。一來吃得到大量的蔬菜，還能避免脂肪攝取過量。

生菜絲配溫泉蛋

196kcal **20**分鐘

材料 2人份

[蔬菜　約300g]

高麗菜	150g
小黃瓜	1條（100g）
洋蔥	1/4顆（50g）
鹽	1/2小匙

[其他]

溫泉蛋	2個
起司粉	少許

[醬汁]

美乃滋	2大匙
檸檬汁	1小匙

作法

❶ 把高麗菜和小黃瓜切成細絲，洋蔥切成薄片。放進碗內後，撒鹽攪勻，再靜置約10分鐘。

❷ 把醬汁的材料倒進另一個碗，再加入瀝乾水分的蔬菜，攪拌均勻。裝盤後放上溫泉蛋，再撒上起司粉。

★ 溫泉蛋的作法　把水和蛋放進鍋內後點火，沸騰後續煮3分鐘，再把雞蛋放進冷水或冰水10分鐘。

這道高麗菜溫泉蛋可算是鹽味生菜的最佳代表。和單純切絲的生菜相比，調味過的生菜比較容易入口，所以可以吃得比較多。如果再放點紅蘿蔔、西洋芹、蕃茄、玉米和火腿等，讓口感更豐富多樣！

把生菜變美味，一口接一口！

白菜蘋果沙拉

191kcal ｜ **15**分鐘

材料 2人份

［蔬菜與蘋果　約300g］

白菜......................................150g
鹽..1/3小匙
蘋果......................................1/2個（150g）
水田芥...................................1/2把（20g）

［其他］

核桃......................................10g
（有的話）紅胡椒*.................少許

［優格醬汁］

原味優格**...........................3大匙
美乃滋...................................3大匙

*紅胡椒（Pink pepper）又稱玫瑰胡椒
（Poivre Rose）。它不是胡椒木的果
實，所以味道並不辛辣。帶有淡淡的苦
味和甜味，大多用來增添色彩。

**改用克菲爾（Kefir）優酪乳（一種高
加索地區的優格）也可以。

作法

① 白菜的菜葉和菜梗分開，菜
梗切成細絲，葉子撕成小
片。將兩者倒進碗中後，撒
上鹽攪拌，靜置約5分鐘。水
田芥切成3～4cm長的小段。

② 把核桃放入鍋內輕炒，再把
個頭大的切為2～4塊。

③ 蘋果帶皮切成扇形薄片。把
醬汁的材料倒進另一個碗，
再放入蘋果攪拌。

④ 瀝乾白菜的水分後，裝盤。
鋪好③裹上醬汁的蘋果、核
桃、水田芥和紅胡椒。

尤其適合秋冬

白菜和高麗菜一樣，先
用鹽搓揉一下的話，口
感會變得更好、更容易
入口。而且搭配當季的
蘋果，有互相輝映的效
果。

A
鹽味生菜

鮮脆生菜沙拉

78kcal | **5**分鐘 （不包括用鹽搓揉的時間）

材料 **2人份**

［蔬菜 約400g］

白蘿蔔	150g
西洋芹	1條（100g）
小黃瓜	1條（100g）
紅蘿蔔	1/4條（50g）
鹽	1小匙

［醬汁］

醋	1・1/2大匙
橄欖油	1大匙
胡椒	少許

把蔬菜切得大塊一點，才能保有清脆的嚼感。這樣才有「真的在吃蔬菜」的感覺。生菜只要用鹽搓揉一下，並且確實將水分瀝乾；這樣只要淋上醬汁，吃起來就很美味了。

作法

❶ 白蘿蔔削皮；西洋芹去筋後，和小黃瓜一起用滾刀法切成長約**4cm**的小塊。紅蘿蔔削皮（帶皮的話會泛黑）後，切成小一點的滾刀塊。

❷ 把所有的蔬菜倒進碗中，撒上鹽巴後仔細攪拌。放置約**20分鐘**。

❸ 把醬汁的材料倒進另一個碗，再放入充分瀝乾水分的蔬菜，仔細攪拌。

有真的在吃蔬菜的感覺

B
醃漬蔬菜

紫漬蘿蔔

49kcal　**20**分鐘　（不包括醃漬的時間）

材料 2人份

[蔬菜　約250g]

白蘿蔔	200g
紅蘿蔔	1/4條（50g）
鹽	1/2小匙

[醃汁]

昆布	4～5cm小塊
辣椒（去籽）	1條
醋、醬油	各2大匙
味醂	1大匙

作法

❶ 削掉白蘿蔔和紅蘿蔔的皮，再切成4cm長、1cm寬的長條。放進碗中，撒上鹽攪勻後，靜置10分鐘。

❷ 把昆布剪成5mm寬。瀝掉❶的水分後，裝入厚塑膠袋，再倒進醃汁的材料。抽掉袋內的空氣後，束緊開口，再放進冰箱保存。放1天以後就可以吃了，大約可保存3天。

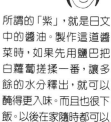

醃得好入味喔

所謂的「紫」，就是日文中的醬油。製作這道醬菜時，如果先用鹽巴把白蘿蔔搓揉一番，讓多餘的水分釋出，就可以醃得更入味。而且也很下飯。以後在家隨時都可以製作這道速成醬菜，因為沒有添加任何化學物質，吃起來更安心。

B
醃漬蔬菜

醃漬蔬菜沙拉

39kcal | **5**分鐘 | （不包括醃漬的時間）

材 料 **2人份**

[蔬菜　約300g]

高麗菜	**150g**
小黃瓜	**1/2條（50g）**
蕪菁	**1個（100g）**
紅蘿蔔	**20g**

薑	**1塊（10g）**
鹽	**1小匙**

[其他]

昆布	**8cm**（縱切成4段）

作 法

❶ 把高麗菜切成入口大小，小黃瓜切成薄圓片；蕪菁先切成兩半，再切成薄片。紅蘿蔔切成扇形薄片；薑切成末。

❷ 把蔬菜❶裝進厚塑膠袋，加鹽。用手從袋子外面把鹽巴和蔬菜搓揉均勻，再加入昆布混勻。擠出袋內的空氣，把袋口束緊，放進冰箱冷藏。醃漬半天就可以吃了，大約可保存3天。把昆布切成容易食用的大小，和蔬菜一起裝盤也不錯。

因為這裡的作法把高麗菜切得大塊一點，以保持清脆的口感，吃起來有點像沙拉，所以稱為「醃漬蔬菜沙拉」。做法相當容易，只要把蔬菜全部裝進塑膠袋，用鹽搓揉一番，再放進冰箱就可以了。鹽可以少放一點。

感覺像在吃沙拉
↓

把生菜變美味，一口接一口！

壽司醋漬蔬菜

107kcal ｜ **10**分鐘 ｜（醃漬時間除外）

材料 容易製作的份量

[蔬菜 約300g]

小黃瓜	1條（100g）
白蘿蔔	100g
紅蘿蔔	1/4條（50g）
西洋芹	1/2條（50g）

[醃漬液]

壽司醋	1/2杯（100ml）
水	1杯（200ml）
月桂葉	1片
辣椒（去籽）	1條
胡椒粒（整顆）	10顆

作法

❶ 把醃漬液的材料倒進鍋內，煮滾後放涼。

❷ 小黃瓜切成**1.5cm**寬；其他蔬菜削皮或去筋後，切成同樣大小的塊狀。

❸ 燒一大鍋滾水，把蔬菜放進去汆燙約**1**分鐘。瀝乾水分後，放涼。

❹ 把蔬菜連同醃漬液放入密封容器或瓶內保存。放的時候記得讓蔬菜的頂部浸泡在醃漬液內。大約醃漬一天即可食用，可存放約**2**星期左右。

省略調配的工夫

建議選用有嚼勁的蔬菜製作。為了去除多餘的水分，先放進滾水汆燙一下再開始醃漬。壽司醋已含有砂糖和鹽，可以省卻調配的手續。除了月桂葉，如果再加上其他幾樣辛香料，味道會變得更有層次。

簡易醃菜

30~60kcal | 各**10**分鐘 （醃漬時間除外）

材料

可以微波的容器1個（約140ml）

［蔬菜］
蔬菜（a~e）⋯⋯⋯⋯ 80~100g

［醃漬液］
壽司醋、水⋯⋯⋯⋯ 等量（各2~3大匙）

A 　月桂葉⋯⋯⋯⋯⋯1小片
　　辣椒末⋯⋯⋯⋯⋯1撮
　　胡椒粒（整顆）⋯ 4~5粒

a 小黃瓜　西洋芹　彩椒（切成條狀）
b 小蕃茄（去蒂）
c 紫洋蔥（切成梳子形）
d 蓮藕（削皮後切成薄片。沿著小洞把
　　邊修掉的話，就是蓮藕花了）
e 茗荷、薑（薑切成薄片；茗荷切成2~
　　4塊）

作 法

1. 分好蔬菜的份量和形狀，每一堆大約是容器的八分滿。

2. 把蔬菜裝入容器。再加上A的香味材料（為了也能運用在日式菜餚，d只加了辣椒。e不必加A。）把等量的壽司醋和水倒進容器，淹過蔬菜的頂部。

3. 不必包保鮮膜，直接把蔬菜連同容器放進微波爐加熱至沸騰（約2分鐘。只要煮到略為冒泡即可）。放涼後蓋上蓋子，放進冰箱冷藏。隔天就可以食用，約可保存兩個星期。

這裡最簡單

請利用可以微波的密封容器製作。以微波加熱至沸騰，可以讓蔬菜的水分和調味料均勻混合，變得更加入味。

C 配菜沙拉

香味蔬菜&牛排沙拉

529kcal | **15**分鐘

材料 2人份

牛排用牛肉	2片（200g）
鹽、胡椒	各少許
沙拉油	1/2大匙

[蔬菜 約300g]

皺葉萵苣	1/2個（80g）
洋蔥	1/4個（50g）
茗荷	2個（40g）

A
洋蔥	3/4個（150g）
醋、醬油	各2大匙
砂糖	1小匙
沙拉油	1大匙

作法

❶ 把茗荷和1/4個洋蔥薄切成片。萵苣用手撕成小片後，浸泡在水中以保持清脆。

❷ 把另外3/4個洋蔥磨成泥，倒進A洋蔥醬汁的材料裡。

❸ 用鹽和胡椒醃牛排。用平底鍋熱油後，把牛排煎成自己喜歡的熟度。切成容易食用的大小。

❹ 瀝乾蔬菜多餘的水分後裝盤，再鋪上牛排。最後淋上醬汁即可。

吃肉時，搭配爽口的蔬菜一起享用，絕對讓人吃得心滿意足。蔬菜的種類不拘，只要是常用來作沙拉的蔬菜都可以；不過搭配洋蔥、芝麻菜、水田芥這些具備辣味、苦味等各種滋味的蔬菜，吃起來更為夠味。

香嗆放一些
味道重的蔬菜

炸雞沙拉

259kcal | **10分鐘**

材料 2人份

炸雞塊*	5～6塊（150g）
[蔬菜 約250g]	
紅萵苣	50g
小黃瓜	1條（100g）
洋蔥	1/4個（50g）
小蕃茄	6個（80g）
檸檬片	3～4片
[沾醬]	
甜辣醬**	2大匙
酸橘醋醬油	1大匙

**加了辣椒、大蒜等酸酸甜甜的東南亞式的調味醬。

作法

❶ 把萵苣撕成小片；小黃瓜先縱切成兩半，再斜切成薄片；洋蔥薄切成片。切好後，全部泡進水中以保持清脆。在小蕃茄劃下十字型的切痕。

❷ 瀝掉蔬菜多餘的水分後，裝盤。鋪上炸雞塊和檸檬，再添上沾醬。

*炸雞塊的作法

❶ 把250g的雞腿肉切成4cm小塊，用【蒜末1小匙、鹽1/3小匙、酒1小匙、胡椒少許】搓揉入味，再靜置10分鐘左右。

❷ 在肉塊上撒2大匙麵粉。

❸ 用高溫的油（180℃）油炸3～4分鐘後即可起鍋。

雖然只是把炸雞塊鋪在沙拉上，卻能達到1＋1=2以上的效果。換成炸白肉魚或炸花枝也一樣好吃！甜甜辣辣的醬汁很開胃。冷掉的雞塊只要重新炸過，又可以熱騰騰地端上桌了。

1+1=∞

C
配菜沙拉

冷涮豬肉片佐酸橘醋凍

280kcal ┃ **20分鐘** ┃ （冷卻凝固時間除外）

材料 2人份

豬肉片	150g
[蔬菜　約200g]	
白蘿蔔	150g
紅蘿蔔	30g
芽菜類	1/2袋（20g）
[果泥醬汁]	
A 明膠粉	2小匙
水	50ml
B 水	150ml
高湯粉	1小匙
酸橘醋醬油	1小匙
[脆皮]	
餛飩皮	4張
沙拉油	1大匙

作法

❶ 把明膠粉倒進A的水，浸泡15分鐘以上泡開。把B倒進小鍋點火加熱，等到快要沸騰時關火加入A。倒進碗內放涼後，放進冰箱冷卻，等待凝固（約1小時）。

❷ 將肉片汆燙至熟，再瀝乾多餘的水分。先把餛飩皮對半切成兩片，再切成細絲。放進油鍋內用小火～中火煎成淡咖啡色，再放在廚房紙巾上吸油。

❸ 把白蘿蔔和紅蘿蔔切成細絲，浸泡在水中以維持脆度。瀝掉多餘的水分後，和肉片一起裝盤。吃之前用叉子把❶搗碎放上，再撒上芽菜和餛飩皮。

享受口感的變化

把平常吃慣的冷涮肉片，換成這種新奇的膠質醬汁也不錯。味道清爽的酸橘凍醬汁，吃起來滑溜順口。搭配爽脆的白蘿蔔和酥脆的餛飩皮，讓口感形成強烈的對比，也多添了幾分美味。

配菜沙拉

水菜&起司豆皮沙拉

224kcal | **15分鐘**

材料 2人份

豆皮	1片（25g）
起司片	3片
海苔	1/4片
柴魚片	1袋（3g）

[蔬菜 約300g]

水菜	80g
蕪菁	1/2個（50g）
白蘿蔔	200g

[醬汁]

醋、醬油	各1大匙
砂糖	1/3小匙
麻油	1大匙

作法

❶ 把水菜切成3～4cm長，蕪菁切成薄片。各自浸泡在水中以保持清脆的口感。白蘿蔔磨成泥。

❷ 把醬汁的材料混合均勻。

❸ 切開豆皮長的一邊，把豆皮掀開成袋狀。夾入起司片，再塞入柴魚片和海苔碎片。放平底鍋用小火把兩面煎成金黃。

❹ 把❸切成1～2cm寬，和蔬菜❶一起裝盤。最後淋上醬汁就完成了。

物盡白雪

煎得香噴噴的豆皮搭配水菜沙拉，吃起來清爽美味。在豆皮裡夾上起司片，更是讓美味升級的神來之筆。而且還吃得到滿滿的白蘿蔔泥。

把生菜變美味，一口接一口！

C
配菜沙拉

漬鮪魚酪梨沙拉

334kcal | **20**分鐘

材料 2人份

鮪魚（碎肉）	⋯⋯⋯⋯	**150g**
A 醬油	⋯⋯⋯⋯	**1大匙**
味醂、酒	⋯⋯⋯⋯	**各1/2大匙**

[蔬菜 約500g]

萵苣	⋯⋯⋯⋯	**2～3片**
水菜	⋯⋯⋯⋯	**20g**
紫蘇葉	⋯⋯⋯⋯	**5片**
小黃瓜	⋯⋯⋯⋯	**1/2條（50g）**
蕃茄	⋯⋯⋯⋯	**1個（200g）**
酪梨	⋯⋯⋯⋯	**1個（200g）**

[山葵美乃滋]

山葵醬	⋯⋯⋯⋯	**1/2小匙**
美乃滋	⋯⋯⋯⋯	**2大匙**
醋	⋯⋯⋯⋯	**2小匙**

作 法

① 把鮪魚肉放在A裡醃漬10分鐘左右。

② 把葉菜類的蔬菜切成容易食用的大小，再浸在水中以保持鮮脆。

③ 把小黃瓜斜切成薄片，蕃茄和酪梨切成一口大小（如果放置的時間過長，可以在酪梨上撒點檸檬汁，以防變色）。

④ 把山葵美乃滋的材料混合均勻。依序將❶～❸裝盤後，淋上醬料即可。

醃漬這個步驟可以降低鮪魚的腥味；搭配蔬菜時，味道才會協調。添加了山葵醬的醬汁很開胃，可以讓人毫不勉強地攝取大量蔬菜，比醃蘿蔔更適合當作下飯的菜餚。

配菜沙拉

烤花枝油漬蕃茄

246kcal | **25分鐘**

材料 2人份

花枝	1隻（250g）
[蔬菜　約450g]	
蕃茄	2小個（300g）
小黃瓜	1條（100g）
沙拉用的豆子	1袋（50g）
芝麻菜	20g
檸檬	1/6個
[醬汁]	
蒜末	少許
醋	2大匙
橄欖油	2大匙
鹽	1/4小匙
醬油	1小匙
胡椒	少許

作法

❶ 清除花枝的內臟後，剝皮，再放在網子上烤熟。把身體切成1cm寬；再把兩支腳切成容易食用的長度。

❷ 蕃茄過滾水去皮後，先橫切成兩半；去籽後，切成3cm的小塊。小黃瓜直削部分的皮，呈現不同色澤的直條紋再切成1cm寬。

❸ 把醬汁的材料倒在一起；先加入❷和豆子拌勻後，再放進花枝。

❹ 把切成5cm長的芝麻菜鋪在盤內，再放上❸。最後擠進幾滴檸檬汁。

吸附了醬汁的生菜，口感變得更滑順、更好入口。為了使生菜更加入味，可以的話，最好在淋上醬之後，用手將蕃茄和小黃瓜拌勻。

把生菜變美味，一口接一口！

凱薩沙拉

459kcal | **15**分鐘

材料 2人份

法國麵包 ·················· **50g**
培根（厚片）·············· **50g**
橄欖油 ···················· **3大匙**
帕瑪森起司* ·············· 少許
［蔬菜 約250g］
蘿蔓萵苣 ················· **1/2顆（150g）**
水田芥 ···················· **1/2把（25g）**
櫻桃蘿蔔 ················· **5個（100g）**
［醬汁］
鯷魚** ···················· **1片（5g）**
蒜末 ······················ **1/4小匙**
牛奶 ······················ **1大匙**
美乃滋 ···················· **2大匙**

*只要不會結塊，改用起司粉也可以。
**鯷魚如果一次吃不完，可以用保鮮膜分
成小包冷凍起來。

作法

❶ 把蘿蔓萵苣、水田芥切成容易
食用的大小。櫻桃蘿蔔削去部
分的皮，形成圓點圖案。

❷ 把麵包切成3cm的小塊，培根
切成5mm的長條。把橄欖油
倒進平底鍋，等到油鍋熱了，
放入麵包略微炒過後取出，再
繼續拌炒培根。

❸ 把醬汁的材料倒在一起，再加
入搗碎的鯷魚拌勻。

❹ 把❶和❷裝盤後，淋上醬汁。
最後撒上現削的起司。

法國麵包是
蘿蔓人物喔

不用蘿蔓萵苣，改用平常
常吃的萵苣也可以。重點是
用橄欖油煎過的培根和法
國麵包。這兩樣食材和蔬
菜能夠互相襯托，使滋味倍
增鮮美。如果再加點生火
腿或水煮蛋也很對味。

C
配菜沙拉

蔬菜淋味噌絞肉

279kcal **20**分鐘

材料 2人份

[蔬菜 約300g]

紅蘿蔔	1/2條 (**100g**)
鹽	少許
蔥（蔥白）	1支 (**90g**)
萵苣	1/3個 (**100g**)

[味噌絞肉]

豬絞肉	**150g**
麻油	1/2大匙

A
蔥（蔥綠）	**10g**
大蒜	1片 (**10g**)
豆瓣醬	1/2小匙

B
味噌	1大匙
砂糖、酒	各1大匙
醬油	1小匙
高湯粉	1/4小匙
太白粉	1/2小匙
水	1/3杯 (**70ml**)

*蔥綠的部份可以使用一整支無妨。

作法

❶ 把紅蘿蔔切絲後，撒鹽拌
勻；等到變軟，再瀝掉多
餘的水分。蔥白的部份斜
切成薄片，泡水後瀝乾。
萵苣切成細絲。

❷ 把A的蔥、大蒜切成末。把
B的材料混合均勻。

❸ 把麻油和A倒進平底鍋內輕
輕拌炒，再加入絞肉。確
實將絞肉撥鬆並炒熟後，
倒入B。邊加熱邊攪拌，直
到稠度增加，便可關火。

❷ 把蔬菜一片片重疊排入盤
內，再淋上熱騰騰的味噌
絞肉就完成了。

光想到把甜甜辣辣的味
噌絞肉淋在大量的蔬菜
上，就讓人垂涎不已。
把蔬菜切得一樣細，更
好入口。也可以直接鋪
在白飯上，就變成蔬菜
絞肉丼了。

59

鮮脆生菜 最可口！

※ 可以直接生吃，也可以搓點鹽巴再吃。
※ 都是1人份，每一道大約使用70～100g蔬菜。

高麗菜佐芥末醬

51kcal **3**分鐘

高麗菜 ·············· 70g

[醬汁]
顆粒芥末醬 ·············· 1/4小匙
醋、橄欖油 ·············· 各1小匙
鹽 ·············· 少許

把高麗菜切成細絲。吃之前再淋上醬汁即可。

麻油拌高麗菜

33kcal **3**分鐘

高麗菜 ·············· 70g
薑（切末）·············· 少許（2～3g）
鹽 ·············· 少許
麻油 ·············· 1/2小匙

把高麗菜撕成小片，再淋上其他材料即可。

胡椒起司萵苣

60kcal **3**分鐘

萵苣 ·············· 1/4個（80g）
小蕃茄 ·············· 1～2個
橄欖油 ·············· 1小匙
粗胡椒粒 ·············· 少許
起司粉 ·············· 1小匙

把萵苣撕成小片。放進碗中，加入橄欖油、大量的胡椒混勻。裝盤後撒上切成圓片的小蕃茄，再撒上起司粉。

昆布鹽拌高麗菜

21kcal **5**分鐘

高麗菜 ·············· 70g
紅蘿蔔 ·············· 10g
鹽味昆布
（或昆布佃煮）·············· 3～5g

高麗菜切1.5cm塊狀，紅蘿蔔切絲。加入鹽味昆布拌勻。

淺漬高麗菜

16kcal **5**分鐘

高麗菜 ·············· 70g
鹽 ·············· 1/4小匙
薑（切絲）·············· 1/2小塊（3g）
紫蘇葉 ·············· 2片

把高麗菜切成細絲，再和薑絲一起用鹽搓揉。把紫蘇葉切成細絲。高麗菜變軟後，先混入紫蘇葉，再瀝乾多餘的水分。

小魚乾拌萵苣

59kcal **5**分鐘

萵苣 ·············· 70g

[醬汁]
吻仔魚 ·············· 1大匙
酸橘醋醬油、麻油 ·············· 各1小匙

把萵苣切成細絲。把醬汁的材料倒進大一點的容器，用保鮮膜包好後，放進微波爐加熱約20秒。最後加入萵苣拌勻即可。

芝麻味噌小黃瓜

117kcal | **3分鐘**

小黃瓜.............................1條

[芝麻味噌]
味噌、白芝麻.....................各1大匙
味醂.............................1·1/2大匙
豆瓣醬...........................1/4小匙

把小黃瓜切成兩半長,再對剖成4條。把芝麻味噌的材料倒進容器,以微波爐加熱約1分鐘後,再盛在小黃瓜旁邊。

優格拌小黃瓜

40kcal | **5分鐘**

黃瓜.............................70g

【醬料】
原味優格.........................3大匙
大蒜（切末）.....................少許（1g）
鹽、胡椒.........................各少許

小黃瓜切成小圓片;混合醬汁所有的材料。吃之前再淋上醬汁即可。

義式蕃茄片

46kcal | **2分鐘**

蕃茄.............................1/2個（100g）
橄欖油...........................1/2小匙
鹽、胡椒.........................各少許
起司粉...........................1小匙
（有的話）羅勒...................少許

把蕃茄薄切成片,裝盤。依序淋上橄欖油、鹽、胡椒和起司。最後擺上羅勒葉當作裝飾。

南蠻小黃瓜

47kcal | **12分鐘**

小黃瓜...........................1條
鹽.............................1/6小匙

[淋醬]
酸橘醋醬油、麻油.................各1小匙
辣椒末...........................少許

把小黃瓜斜切成6～7mm寬的厚片。抹上鹽後靜置10分鐘。稍微沖洗後,把水分瀝乾,再拌進醬汁。

梅乾柴魚拌黃瓜

25kcal | **12分鐘**

小黃瓜...........................1條（100g）
鹽.............................1/6小匙

[梅乾柴魚]
梅乾的果肉（拍碎）...............1/2大匙
柴魚片...........................1g
味醂、醬油.......................各1/4小匙

把小黃瓜切成滾刀塊,用鹽搓過以後,靜置10分鐘。迅速沖洗以後,再將水分瀝乾,拌上梅乾柴魚。

酸橘醋蕃茄

25kcal | **3分鐘**

蕃茄.............................1/2個（100g）
洋蔥.............................10g
紫蘇葉...........................1片
酸橘醋醬油.......................1小匙

把切成梳子形的蕃茄對半斜切成兩片。洋蔥薄切成片;紫蘇葉切成細絲。拌勻後裝盤,再淋上酸橘醋醬油。

鮮脆生菜
最可口！

水菜拌豆皮

| 79kcal | 5分鐘 |

水菜 ·························· 70g
豆皮 ·················· 1/2片（15g）

[醬汁]
沾麵醬（濃縮2～3倍的原液）
················· 1·1/2～2小匙
山葵醬················· 1/2小匙

把水菜切成3cm長（可以先用熱水稍微燙過，以減少體積）。豆皮放進烤箱烤過後，切成細絲。淋上醬汁拌勻即可。

水菜小魚乾
佐美乃滋

| 74kcal | 5分鐘 |

水菜 ·························· 70g
小魚乾·················· 1大匙
美乃滋·················· 1/2大匙

把小魚乾放進平底鍋乾炒。把水菜切成3cm長後裝盤，先撒上小魚乾，再淋上美乃滋就可以了。

涼拌長芋

| 52kcal | 5分鐘 |

長芋 ·························· 80g
柚子胡椒
（山葵醬也可以）········· 1/4小匙
紫蘇葉·························· 1片

長芋削皮，撒上柚子胡椒後，用保鮮膜包好，再以擀麵棍等敲碎即可。

鰻魚拌長芋

| 96kcal | 5分鐘 |

長芋 ·························· 70g
蕃茄薄片·················· 3片
橄欖油·················· 1小匙
鰻魚·················· 1片（5g）
胡椒·························· 少許

把長芋切成細條後，放在蕃茄片上。把橄欖油和鰻魚放入平底鍋內，邊加熱邊撥鬆鰻魚肉。再把熱騰騰的鰻魚，淋在長芋上。最後撒上胡椒即可。

洋蔥切片

| 46kcal | 3分鐘 |

洋蔥························· 70g
鵪鶉蛋（雞蛋黃也可以）
························· 1個
酸橘醋醬油·················· 1小匙
柴魚片·················· 少許

把洋蔥切成薄片後裝盤（如果想減緩洋蔥的辣味，可以把洋蔥浸泡在水裡）。放上柴魚片和鵪鶉蛋，再淋上酸橘醋醬油就可以了。

糖醋洋蔥

| 41kcal | 3分鐘 |

洋蔥·························· 70g
甜辣醬*·················· 1大匙

把洋蔥切成薄片，再淋上甜辣醬拌勻就好了。

*加了辣椒、大蒜等酸酸甜甜的東南亞式的調味醬。

起司西洋芹

100kcal **3分鐘**

西洋芹 70g
奶油起司 20g
蜂蜜 1小匙
胡椒 .... 少許

西洋芹去筋；把奶油起司裝在芹菜的凹陷處。最後淋上蜂蜜、撒上胡椒就可以了。

咖哩美乃滋西洋芹

112kcal **10分鐘**

西洋芹 70g
鹽 1/6小匙
火腿 1/2片

[醬汁]
咖哩粉 1/6小匙
美乃滋 1大匙
砂糖 .... 少許

把西洋芹切成4～5cm的小段，再用鹽搓揉一番；變軟後，再將水分瀝乾。火腿切成細條，再和西洋芹一起用醬汁拌勻。

糖醋白蘿蔔

33kcal **13分鐘**

白蘿蔔 100g
鹽 1/4小匙
壽司醋 1大匙
辣椒末 .... 少許

把白蘿蔔切成2～3mm厚的扇形，撒上鹽搓揉後靜置10分鐘左右，再把水分瀝乾。最後拌入壽司醋和辣椒就完成了。

白蘿蔔鮭魚佐美乃滋

78kcal **5分鐘**

白蘿蔔 70g
鮭魚罐頭 30g
美乃滋 1/2小匙
酸橘醋醬油 1小匙
（有的話）紫蘇葉 1片

白蘿蔔切成細絲後，裝盤。旁邊擺上紫蘇葉，再鋪上罐頭鮭魚。最後淋上美乃滋和酸橘醋醬油就完成了。

紅蘿蔔漬薑片

44kcal **5分鐘**

紅蘿蔔 50g
西洋芹 20g
薑 .... 少許
A 壽司醋 1小匙
　麻油 1/2小匙

紅蘿蔔切成薄薄的半月形；西洋芹切成環狀；薑切絲。最後以A將所有的蔬菜攪拌均勻。

紅蘿蔔絲沙拉

88kcal **13分鐘**

紅蘿蔔 70g
鹽 1/8小匙
葡萄乾 1小匙

[醬汁]
醋、沙拉油 各1小匙
鹽、胡椒 .... 各少許

紅蘿蔔用刨絲器削成細絲，或用菜刀切成絲。撒上鹽後靜置10分鐘，再把水分瀝乾。和葡萄乾一起拌入醬汁即可。

鮮脆生菜
最可口！

涼拌彩椒

28kcal **5分鐘**

彩椒	1/2個 (70g)
水菜	10g
酸橘醋醬油	1小匙
柴魚屑	少許

把彩椒切成滾刀塊，水菜切成3cm長（可以先用熱水稍微燙過，以減少體積）。淋上酸橘醋醬油後，再撒上柴魚屑就可以了。

芝麻拌彩椒

56kcal **5分鐘**

彩椒	1/2個 (70g)

[調味醬]
砂糖	1/3小匙
味醂、醬油	各1/2小匙
白芝麻	1大匙

把彩椒切成薄片，再拌入調味醬即可。

培根菠菜

159kcal **5分鐘**

沙拉用菠菜	70g
培根	1片 (20g)
大蒜	1/2小片 (3g)
橄欖油	2小匙
醬油	1/2小匙

菠菜切成4cm的小段裝盤。把培根切成1cm的小丁，大蒜切成薄片，再一起放進鍋內輕輕拌炒。倒進醬油調味後，加入菠菜繼續炒。最後撒點胡椒（另外的材料）即可。

菠菜杏仁沙拉

100kcal **8分鐘**

沙拉用菠菜	70g
紅蘿蔔	10g
鹽	少許
杏仁片	1大匙

[沙拉醬]
美乃滋	1/2大匙
原味優格	1/2小匙
鹽、胡椒	各少許

把菠菜切成4cm長，紅蘿蔔切成細絲後撒鹽。杏仁片放進平底鍋乾炒。蔬菜依序裝盤後，撒上杏仁片和淋上沙拉醬即可。

蕪菁沙拉

80kcal **8分鐘**

蕪菁	70g
小蕃茄	2個

[醬汁]
醋	1小匙
沙拉油	2小匙
鹽、胡椒	各少許

蕪菁帶莖削皮後，切成薄片。把小蕃茄任意切成塊，再淋上醬汁拌勻。最後鋪在蕪菁上。

薑末拌蕪菁

14kcal **8分鐘**

蕪菁	70g
蕪菁菜	少許
薑	1小片 (5g)
鹽	少許

把蕪菁切成薄薄的梳子形，葉子切成細絲。薑切成末。蕪菁和薑末混勻後，撒點鹽略微搓揉就可以了。

酪梨切片

145kcal 5分鐘

酪梨	1/2個（100g）
洋蔥	10g
小蕃茄	1個
酸橘醋醬油	1小匙
山葵醬	少許

酪梨切成薄片後裝盤。鋪上切丁的洋蔥和蕃茄，在旁邊擠點山葵醬，最後淋上酸橘醋醬油即可（如果酪梨放置的時間過長，可以在上面擠點檸檬汁防止變色）。

夏威夷酪梨

207kcal 8分鐘

酪梨	1/2個（100g）
檸檬汁	1小匙
魚肉香腸	20g
檸檬薄片	少許

[醬汁]

| 美乃滋 | 1/2大匙 |
| 牛奶 | 1/2小匙 |

用湯匙挖出酪梨的果肉，再擠上檸檬汁。香腸切成4mm厚。放進酪梨皮中，用檸檬薄片做裝飾，再淋上醬汁就完成了。

昆布拌茄子

21kcal 10分鐘

茄子	1個（70g）
小黃瓜	1/4條
鹽	1/4小匙
昆布絲	3g

茄子切成圓形薄片；小黃瓜切成圓片。兩者一起用鹽搓揉，等到變軟，再將水分瀝乾。最後加入昆布絲拌勻。

辣味噌茄子

45kcal 10分鐘

| 茄子 | 1大個（90g） |
| 鹽 | 1/4小匙 |

[辣味噌]

| 山葵醬 | 1/4小匙 |
| 味噌、味醂 | 各1小匙 |

把茄子縱切成兩半再斜切成薄片。用鹽搓揉一番，等到變軟以後，瀝乾水分。最後加入辣味噌拌勻即可。

秋葵納豆

109kcal 3分鐘

秋葵	5支（35g）
鹽	少許
蔥	1支
納豆	1小盒（30g）
蛋	1/2個

秋葵用鹽搓洗乾淨後，和蔥一起切成小圓片。把納豆和秋葵倒在一起，用筷子攪拌均勻，再打入生蛋攪拌直到鬆軟。最後撒上蔥就完成了。

山形秋葵

20kcal 5分鐘

秋葵	4支（30g）
鹽	少許
小黃瓜	1/3條（30g）
茗荷	1/2個（10g）
薑	1/2小塊（3g）
沾麵醬（濃縮2～3倍的原液）	1/2～1小匙

秋葵用鹽搓洗乾淨後，切成小圓片。其他蔬菜全部切成末，再倒在一起，加入沾麵醬攪拌均勻。不論倒在白飯上或豆腐上都很好吃（除了秋葵，可以再加點茄子、紫蘇葉和蔥等）。

整個放進烤箱烤過再大快朵頤

把蔬菜全部放進大的耐熱皿等容器燒烤的料理方式。大約只需20分鐘即可完成，如果運用在每天的料理，可說再方便不過。料理的步驟只有3步，非常簡單。

＊葉菜類、四季豆、豆芽菜等質地較薄又容易燒焦的蔬菜，不適合這種烹調法。

1 把蔬菜切成適當的大小。
＊薯芋類或根莖類的蔬菜要事先切成薄片，比較容易烤熟。

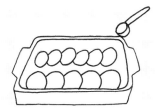

2 把蔬菜放在大型的耐熱皿或烤盤攤平。撒上油。

3 用烤箱烤熟。
＊配合不同的料理，看是要蘸上醬汁或調味料，或者淋上沾麵醬再大快朵頤。

烤蔬菜

527kcal｜**25**分鐘　（2人份的熱量）

材料　2～3人份

[蔬菜　約400g]
馬鈴薯‥‥‥‥‥‥‥‥‥1個（150g）
洋蔥‥‥‥‥‥‥‥‥1/2個（100g）
紅蘿蔔‥‥‥‥‥‥‥‥‥‥‥‥50g
高麗菜（整團）‥‥‥‥‥‥‥‥120g

[德國香腸等]
德國香腸‥‥‥‥‥‥‥‥‥‥‥4條
鹽‥‥‥‥‥‥‥‥‥‥‥‥‥‥少許
橄欖油‥‥‥‥‥‥‥‥‥1·1/2大匙

[醬料]
美乃滋‥‥‥‥‥‥‥‥‥1·1/2大匙
鮮奶油‥‥‥‥‥‥‥‥‥1·1/2大匙
檸檬汁‥‥‥‥‥‥‥‥‥‥1/2大匙
胡椒‥‥‥‥‥‥‥‥‥‥‥‥‥少許

作法

❶ 把馬鈴薯、洋蔥、紅蘿蔔切成3～4mm厚的薄片；高麗菜對切成2塊，德國香腸劃下切痕。

❷ 把❶攤平鋪在耐熱皿或烤盤上，再撒上鹽和淋上橄欖油。

❸ 把烤盤放進220℃的烤箱烤20分鐘左右。烤的過程中，如果高麗菜快要燒焦，可以在上面鋪張鋁箔紙。混合醬料所有的材料後，再淋在料理上。

做法非常簡單，只要把蔬菜的四大天王"馬鈴薯、洋蔥、紅蘿蔔和高麗菜"一起放進烤箱烤一烤就大功告成了。如果希望這道菜能在20分鐘內完成，訣竅是把蔬菜切得薄一點；相反的，葉菜類的蔬菜要切得大塊一點。只烤20分鐘的話，馬鈴薯和紅蘿蔔仍保有些微的清脆口感，吃起來也是一種有別以往的美妙滋味。

橄欖油烤夏季蔬菜

396kcal | **25分鐘** （**2人份的熱量**）

材料 2～3人份

［蔬菜 約550g］

蕃茄····················1個（150g）
水煮玉米 ··············1/2大支（150g）
櫛瓜····················2/3條（100g）
洋蔥····················1/2個（100g）
黃椒····················1/2個（80g）

［肉類等］

雞腿肉 ·················**200g**
橄欖油 ·················**1·1/2大匙**
香草鹽* ···············**1/4小匙**
（有的話）檸檬··········**1/2個**

*所謂的香草鹽，就是鹽和乾燥香
草（迷迭香、百里香、奧勒岡葉等）
的混合物。利用鹽和家中現有的香
草（生鮮或乾燥皆可）也可以；如果
沒有香草的話，多撒點黑胡椒粒代
替也可以。

作法

❶ 把蕃茄橫切成兩半，玉米
切成3～4cm長。其他蔬
菜切成一口大小。
用叉子在雞腿肉的外表叉
幾個洞；切成6塊後，撒
上少量鹽和胡椒（另外的
份量）。

❷ 把蔬菜和雞肉攤開放在大
的耐熱皿或烤盤內，再淋
上橄欖油和撒上香料鹽。

❸ 放進220℃的烤箱烤20分
鐘左右。烤好後，可以直
接享用，也可以擠點檸檬
汁再開動。

蔬菜放進烤箱烤過以
後，甜味會變得更加濃
郁，吃起來格外美味。正
值春天的話，不妨加點
新鮮的高麗菜、竹筍和
蠶豆（連同豆莢）；秋天
的話，可以放點菇類、地
瓜；到了冬天，白菜和蔥
都是當令的珍饈。

濃縮了
美味的精華

和風蔬菜綜合燒烤

271kcal **25分鐘** （**2人份的熱量、不包括醃漬的時間**）

材料 2～3人份

[蔬菜　約500g]

茄子	2個（140g）
蕪菁	1個（100g）
南瓜	80g
香菇	4個（60g）
蓮藕	1/2小節（80g）
牛蒡	1/4條（50g）

[蝦子等]

蝦子*	4尾
麻油	2大匙

[沾醬]

沾麵醬（濃度自行調整）
.....................1/2杯
薑汁.....................1小匙

*有頭或無頭都可以。草蝦等蝦殼帶黑的種類，烤出來的顏色偏紅。

作法

❶ 把茄子和蕪菁縱切成4等分，南瓜切成4塊，香菇去蒂。蓮藕切成5mm厚的圓片，牛蒡斜切成薄片。各自泡在水裡後，再把水分瀝乾。蝦子去泥腸。

❷ 把蔬菜和蝦子攤平放進大的耐熱皿或烤盤，以繞圈的方式淋上麻油。

❸ 放進220℃的烤箱烤約15分鐘。蝦子只需7～8分鐘便會熟透，所以中途先把蝦子拿出來。烤好後，把蝦子再放回去，淋上加了薑汁的沾麵醬。靜置30分鐘就可以吃了。

只要把裝了蔬菜和蝦子的耐熱皿放入烤箱，再淋上沾麵醬就OK了。而且做好後可以隔一段時間再吃，遇到要請客的時候，會是一道很方便的料理。除了菜葉很薄的蔬菜不適合，幾乎所有的蔬菜都可以入菜；另外，如果不想放蝦子的話，也可以不放。

整個放進烤箱烤過再大快朵頤

波姆波姆烤起司

421kcal **25**分鐘 （**2人份的熱量**）

材料 2～3人份

［蔬菜和蘋果 約600g］
馬鈴薯·····················1個（200g）
蘋果·····················1/2個（150g）
洋蔥（白或紫）·············1/2個（100g）
小蕃茄·····················8個（100g）
青花椰·····················1/4顆（50g）

［起司等］
卡門貝爾起司···········1個（100g）
培根（切厚片）············30g
沙拉油·····················1大匙

作法

❶ 把馬鈴薯切成5mm厚的扇形。帶皮的蘋果和洋蔥切成2～3cm的小塊；小蕃茄去蒂。青花椰分成小瓣；培根切成7～8mm厚。

❷ 把青花椰以外的蔬菜和培根攤開放進大的耐熱皿或烤盤（要鋪上鋁箔紙）。以劃圈的方式淋上橄欖油。

❸ 放進220℃的烤箱烤約10分鐘。在起司的中央劃下十字型切痕後，置於蔬菜中央；鋪上花椰菜，再續烤5分鐘左右。只要起司融成誘人的牽絲狀就完成了。

Pomme和Pomme de terre分別是法文的蘋果和馬鈴薯。這道料理的作法是把整塊起司丟進烤過的蘋果和馬鈴薯上。續烤幾分鐘後，就可以拿著蔬菜沾著牽絲的起司大快朵頤。也是很棒的下酒菜喔。

吃起來酸酸甜甜

雖然要費上一番工夫才能送
進烤箱，還是特地介紹給大
家。「Sale」是法文的鹽
巴；顧名思義，這道蛋糕加
鹽不加糖，而且添加了多種
蔬菜。用它代替麵包，當作
豐盛的早餐或午餐都不錯。

法式蔬菜鹹蛋糕
(Cake Sale)

整條 **1284kcal** | **70**分鐘

材料

18×8×6cm的磅蛋糕模1個

[蔬菜和蘋果　約250g]

洋蔥	1/2個（100g）
紅椒	1/2個（70g）
菠菜	1/2把（100g）

[其他]

培根	30g
沙拉油	1/2大匙
鹽、胡椒	各少許

[麵糊]

蛋		2個
A	麵粉（低筋麵粉）	100g
	發粉	1小匙
B	牛奶	70ml
	沙拉油	3大匙
	帕瑪森起司（粉）	20g

*配合烤模的形狀，
把烘培紙裁成合適的大小，
再鋪在烤模內。

作法

❶ 把洋蔥和彩椒切成薄片，
再把彩椒較長的一邊對
半切成兩段。菠菜切成
3～4cm長；培根切成7～
8mm寬。

❷ 把沙拉油倒進平底鍋，油
溫熱了以後，放入培根和
蔬菜拌炒，直到蔬菜變軟
（a）。撒入鹽和胡椒調味
後，放涼。

❸ 把蛋打進碗內，加入B用打
蛋器攪拌均勻。邊過篩邊

把A加入碗內（b），仔細
攪拌，直到沒有殘留粉狀
的結塊。接著加入❷繼續
攪拌，拌勻後，倒進烤模
內（c）。

❹ 用180℃的烤箱烤40～45
分鐘（用竹籤插進中央，
只要拔出時沒有麵糰附
著，代表已經完成）。從
烤箱中取出放在網子上；
為了防止乾燥，記得用塊
乾布覆蓋在上面。

輕鬆烤烤
就上桌！

※以下介紹的都是只需放進烤箱或烤爐燒烤即可的料理。
※都是1人份。每一道約使用70～100g蔬菜。

炭燒大蔥

71kcal	20分鐘

蔥 ·······························1支（100g）
【甜味噌】
味噌 ···························1大匙
砂糖 ···························1小匙
味醂 ···························1小匙

切掉蔥的前段（裝飾用），再把蔥白的部切成兩半。放進烤爐以大火把上下左右（大約是5＋5＋4＋3分鐘）烤得漆黑。切成小段裝盤後，旁邊添上甜味噌。吃之前先把外面的皮剝掉。

烤香菇

14kcal	6分鐘

香菇 ·······················3～4大朵（80g）
鹽（或岩鹽）···············少許
酸橘 ···························1/2個

把有蕈褶那面朝上，鋪在鋁箔紙上。放進烤箱烤3分鐘，等到表面緊縮，撒鹽再烤2分鐘就可以了。

鹽烤茄子

59kcal	15分鐘

茄子 ···························1大個（90g）
麻油 ···························1小匙
鹽 ·····························少許
蔥花 ···························2支
烤海苔片 ·····················1/4片

把茄子縱切成兩半，在兩面劃下斜斜的切痕。鋪在鋁箔紙後，淋上麻油和撒上鹽。放進烤箱烤10分鐘左右，把兩面都烤成金黃色。最後撒上蔥花和海苔片即可。

麻油烤蔥段

95kcal	8分鐘

蔥 ·····························1小支（70g）
豆包 ···························1/2片（15g）
麻油 ···························1/2小匙
鹽、七味辣椒粉 ···············各少許

把蔥縱切成兩半，再切成約4cm的小段。豆包也切成同樣的大小。一起放進鋁箔紙後，撒上鹽和麻油，迅速攪拌。攤開後，放進烤箱烤約5分鐘。記得途中要翻面。最後撒上七味辣椒粉調味。

烤鴻喜菇

31kcal	10分鐘

鴻喜菇 ·························70g
蕃茄薄片 ·····················4～5片
鹽、胡椒 ·····················各少許
起司粉 ·························1/2大匙

把蕃茄片鋪在鋁箔紙上（用盒子的話就排好），再放上一朵朵撕開的鴻喜菇。撒上鹽、胡椒、起司粉，放進烤箱烤約7分鐘。烤好後，也可以再淋些喜歡的醬汁或醬油。

烤茄子沙拉

63kcal	10分鐘

茄子 ···························1大個（90g）
小蕃茄（切成粗丁）············3個（60g）
法式沙拉醬 ···················1/2大匙
（有的話）羅勒 ···············少許

把茄子切成3片左右，放進烤箱把兩面都烤成金黃色。用法式沙拉醬將蕃茄丁拌勻，鋪在茄子上。

烤彩椒

43kcal 15分鐘

彩椒	2/3個（100g）
A 醋、橄欖油	各1/2小匙
鹽、胡椒	各少許
嫩葉（Baby Leaf）、水菜等	少許

把彩椒縱切成兩半，用烤爐的強火烤到
外皮漆黑。剝掉燒焦的皮，縱切成兩半，
用A拌勻後靜置10分鐘。最後擺上綠色的
菜葉點綴。

起司烤彩椒

86kcal 8分鐘

彩椒	1/2個（70g）
洋蔥	20g
鹽、胡椒	各少許
起司片	1片
荷蘭芹	少許

切掉彩椒的蒂頭和去籽，處理成杯形。
放入切好的洋蔥，撒上鹽和胡椒，鋪
上起司碎片。放進烤箱烤5分鐘左右，
再撒上荷蘭芹即可。

烤地瓜薄片

95kcal 10分鐘

地瓜	70g
鹽	少許
黑芝麻	少許

把地瓜切成5mm厚的圓片，泡水後，
瀝乾水分。放進平底鍋用中火煎5分鐘
（煎時要不斷翻面）；或者用鋁箔紙包
起來，放進烤爐燜烤6分鐘，再兩面各
烤2分鐘。最後撒上芝麻和鹽。

烤蓮藕

43kcal 10分鐘

蓮藕	70g
鹽、七味辣椒粉	各少許

把蓮藕切成1cm厚，以烤箱烤8分鐘左
右。撒上鹽和七味辣椒調味即可。

長芋磯邊燒

52kcal 10分鐘

長芋	70g
醬油	1小匙
烤海苔（切成細絲）	1/4片

連皮把長芋切成7～8mm厚的圓片或半
圓形，再抹上醬油。把長芋鋪在鋁箔紙
上，放進烤箱烤7～8分鐘，把兩面均勻烤
上色。最後撒上海苔絲即可。

長芋蔥花烤味噌

68kcal 15分鐘

長芋	70g
【蔥花味噌】	
蔥花	1/4條
味噌	1/2大匙
味醂	1/2小匙

混合蔥花味噌的材料。把長芋切成7～
8mm厚（帶皮也沒關係）。放進烤箱
把單面烤5分鐘後翻面，再鋪上蔥花味
噌續烤5分鐘。

美味蔬菜湯，
上桌！

想要快速攝取到蔬菜時，
當作味噌湯的配料或煮成湯是最佳選擇。
只要學會幾種湯底的變化方法，
隨時都能來一碗熱騰騰的各式蔬菜湯。

蕃茄酸辣湯

95kcal 15分鐘 材料 2人份

[蔬菜 約350g]

蕃茄	1個（200g）
鴻喜菇	1/2盒（50g）
青江菜	1把（100g）

[湯底]

雞柳（雞胸肉）		2條（100g）
A	鹽	少許
	酒、太白粉	各1小匙
B	水	2杯
	中式料理高湯粉	1/2小匙
C	醬油	2小匙
	醋	1大匙
	鹽、胡椒	各少許
辣油		少許

作法

❶ 把雞柳切成3cm長的細條，用A搓揉入味。蕃茄切成梳子形；鴻喜菇分成小朵。先把青江菜切成3～4cm長，再將菜梗分為6～8段。

❷ 把B放入鍋內後，點火加熱。沸騰後，加入雞柳條。等到雞柳條轉白，先撈出浮沫，再加入蔬菜。用C調味。最後在開動前沿著器皿的邊緣滴上辣油。

這道湯品的特徵是加了醋和辣油。再加上蕃茄本身的酸味，喝起來更開胃。除了蕃茄的茄紅素，這道湯品還富含菇類的維生素D和食物纖維，對身體非常有營養。

豆漿豬肉湯

281kcal **20**分鐘 **材料** 2人份

[蔬菜 約250g]

馬鈴薯·····················2/3個（100g）
紅蘿蔔·····························30g
牛蒡·······························30g
蕪菁··························1個（100g）
蔥·································10cm
水菜·······························10g

[湯底]

豬五花薄片··························80g
水······························200ml
豆漿·····························200ml
味噌·······························1大匙

作法

❶ 把馬鈴薯、紅蘿蔔切成4～5mm 厚的扇形，牛蒡斜切成薄片。 蕪菁保留些微的莖部不切，分 成4塊。

❷ 把蔥切成1cm長，水菜和豬肉 切成3cm長。

❸ 把量好份量的水和蔬菜❶倒進 鍋內，用中火加熱。沸騰後， 加入豬肉；撈去浮沫後，蓋上 鍋蓋，以小火續煮10分鐘。

❹ 放入豆漿和蔥段，煮滾後，加 入味噌。最後鋪上水菜，再撒 上七味辣椒粉（另外的份量） 即可。

這道湯品加了很多馬鈴薯、根莖類蔬菜、蔥等能溫熱身體的蔬菜，只要一碗下肚，身體立刻變得暖呼呼的。豬肉湯雖然只是一道平凡無奇的料理，但加了豆漿以後，味道變得更溫醇，而且還能順便補充大豆異黃酮。

「Ajo」是西班牙文的大蒜。裡面加了麵包，是一道份量十足的湯品。而且，大蒜和青花椰都是抗氧化力很強的蔬菜。

西班牙大蒜湯
(Sopa de Ajo)

281kcal **20分鐘** (材料) **2人份**

[蔬菜　約150g]

洋蔥	1/4個（60g）
青花椰	1/4顆（50g）
綠蘆筍	2條（40g）

[湯底]

大蒜	2片（20g）
培根（切成厚片）	40g
橄欖油	2大匙
法國麵包	30g
A　水	400ml
高湯粉	1小匙
胡椒	少許

作法

❶ 洋蔥和青花椰切成大塊；蘆筍切小圓片。大蒜薄切成片去芯；培根切成5mm厚；法國麵包切成一口大小。

❷ 把橄欖油和大蒜放進鍋內，用小火拌炒；等到蒜片稍微變色，依序放入洋蔥和大蒜麵包。接著再放培根、青花椰和蘆筍輕輕拌炒。

❸ 加入A，煮到沸騰後轉小火，續煮3～4分鐘。最後撒上胡椒調味即可。

海瓜子巧達湯

237kcal | 20分鐘 | 材料 2人份（不包括海瓜子吐沙的時間）

[蔬菜 約250g]

馬鈴薯 .... 2/3個（100g）
洋蔥 .... 1/3個（70g）
南瓜 60g
紅蘿蔔 30g

[湯底]

海瓜子（已剝殼、吐沙）
.... 150g

A ｜ 奶油 15g
｜ 麵粉 1.1/2大匙

B ｜ 水 300ml
｜ 高湯粉 1小匙
牛奶 200ml
鹽、胡椒 .... 各少許

[配料]

荷蘭芹或蘇打餅乾 .... 各少許

貝類含有豐富的牛磺酸和鐵質。其他五顏六色的蔬菜，也含有各種維生素和有益健康的色素成分。

作法

❶ 把海瓜子浸泡在鹽水（水1杯＋鹽1小匙）約30分鐘吐沙，再以殼互相摩擦的方式洗乾淨。

❷ 把蔬菜全部切成1cm的小丁。

❸ 把奶油放進鍋內，融化後，放入蔬菜以中火輕輕拌炒。接著加入麵粉，再轉小火拌炒約1分鐘左右。注意不要炒焦。加入B拌勻，使其充分溶解，再把火勢調爲中火。沸騰後轉小火，續煮約10分鐘。

❹ 最後加入牛奶和海瓜子，等到殼開了，再以胡椒和鹽調味。撒上荷蘭芹或蘇打餅乾碎片就完成了。

養成每天的習慣！
可以大口吃蔬菜的
滿滿蔬菜盤

蔬菜
到底要吃多少
才夠呢？

1天最好能
攝取350g的蔬菜

蔬菜含有豐富的維生素、礦物質、食物纖維等，而且熱量很低，能多多攝取是再好不過。為了讓身體攝取到足夠的營養，每天至少要吃350g的蔬菜。具體而言，如果以〝燙菠菜〞這種簡單的小菜來計算（大約70g），大約一天要吃5～6盤；換句話說，每餐要攝取1～2道。

*日本制定『日本人的飲食攝取標準（2005年版）』，當中建議每人一天要攝取350g以上的蔬菜（不包括薯芋類、菇類。但本書為了方便大家了解，將這兩樣也納入蔬菜）。而在日本「飲食均衡指導手冊」中，亦建議一日應攝取5～6盤【配菜】：【配菜】＝【蔬菜・薯芋類・菇類・豆類（大豆除外）・海藻料理】。

從每一道含有70g
蔬菜的料理開始

本書製作了很多蔬菜的重量從70g起跳的「簡單小碟菜」（參照p.22等）。另外，也介紹了將這些小碟菜納入每天菜單的主菜盤（p.82）。請大家參考這些飲食方式，讓自己也能達到每日攝取蔬菜350g以上的目標吧。
只要習慣1道70g蔬菜的料理，就能夠輕易擺脫蔬菜攝取不足的問題了。

*食材經過調理後，多少會產生廢棄量；所以完成的份量會比下鍋前略為減少。因此，70g是最基本的份量；如果能多做一點、多吃一點，當然最為理想。

70g的
蔬菜
有這麼多

從下一頁開始,讓大家看看1盤70g蔬菜的模樣。
即使一樣都是70g,也可能因種類的差異看起來
有所出入;以葉菜類而言,生鮮和加熱後的份量
差異很大。由此可知,如果做成沙拉,量通常很
驚人,否則無法攝取到足夠的蔬菜。每天最理想
的蔬菜攝取量大約是菜盤的5~6格份。
對了,你今天吃了多少蔬菜呢?

加 熱 以 後

加 熱 以 後

放了滿滿蔬菜的菜盤

以下利用一個很像在咖啡店吃簡餐的餐盤，為大家介紹能補充大量蔬菜的菜單。只要每天的飲食都照著這樣的原則，就能擁有健康、美麗的人生。

menu

● 牛蒡漢堡排
● 菠菜杏仁沙拉 (p.64)
● 醬漬南瓜 (p.43)
● 雜糧飯
　（白米混合綜合雜糧煮成的飯）
● 海帶芽味噌湯
　（加了乾燥海帶芽、蔥）

一餐**800kcal**　蔬菜約**250g**

*各道蔬菜料理，
請參考前頁的"簡單小碟菜"。
每盤簡單小碟菜的份量都是一人份。

牛蒡漢堡排

354kcal 30分鐘　材料 2人份

[漢堡內餡]
豬牛絞肉..............200g
洋蔥............1/2個（100g）
牛蒡............1/4條（50g）
A ┌ 麵包粉......1/4杯（10g）
　└ 牛奶..............2大匙
蛋..............1/2個
鹽..............1/6小匙
胡椒..............少許

[醬汁]
紅酒..............2大匙
蕃茄醬..........1・1/2大匙
豬排醬..............1/2大匙

[配料]
蕃茄..............1/4個
洋蔥..............20g

作 法

① 內餡用的洋蔥切成末，配料切成粗丁。牛蒡切成粗絲。把A的材料混在一起。

② 把漢堡排的材料倒進碗內，仔細攪拌。黏性產生後，分成兩等分，再各捏成圓形。

③ 把1/2大匙沙拉油（另外的份量）倒進平底鍋，等到油溫熱了，放進漢堡排用中火油煎。單面煎上色後，翻面並轉為小火；蓋上鍋蓋燜煎6〜7分鐘。煎好後，裝盤。

④ 大致將鍋底擦拭乾淨後，倒入醬汁的材料。煮沸後，淋在漢堡排上。最後鋪上切成1cm大小的蕃茄丁和洋蔥末。

以菜盤
掌握蔬菜的攝取量

菜盤一共分為4格，分別盛裝了主食＋主菜＋兩道配菜。

兩道配菜可以選擇在〝簡單的小碟菜〞中出現過的蔬菜料理，作法都相當簡單。由兩道配菜所攝取的蔬菜量約是140～150g，再加上主菜和湯品的量，一餐所攝取的蔬菜量就可超過150g。

檢視照片中的菜盤，可以將一餐內「飯類、魚&肉、蔬菜」的比例分配看得很清楚。所以，是不是也可以運用這個比例，回想自己在上一餐的飲食內容。即使吃的是咖哩飯或義大利麵，只要在腦中算出【白飯（義大利麵）、魚&肉、蔬菜】的份量，就可以做出「蔬菜大概少了一格的量」等具體判斷。

找出適合自己的比例

1天所需的熱量如下表所示。請就午晚餐的飲食內容，增減菜單的份量。不論增加或減少，能保持原本4格菜盤裡的比例是最理想的。

飲食的熱量攝取標準*
（熱量的攝取建議量）（kcal/日）

	男性	女性
12~14歲	2350~2650	2050~2300
15~17歲	2350~2750	1900~2200
18~29歲	2300~2650	1750~2050
30~40歲	2250~2650	1700~2000
50~60歲	2050~2400	1650~1950
70歲以上	1600~1850	1350~1550

以上的建議熱量是以坐著為主（低度）～完全坐著工作，並且會進行通勤、掃除、購物的生活型態為基準。

*節錄自日本勞働厚生省「日本人的飲食攝取標準（2005年版）」。

1天可以攝取到350g以上
蔬菜的飲食如下

早餐

· 培根蛋
· 紅蘿蔔絲沙拉（p.63）
· 加了水果的優格
· 麵包（添加了雜糧）
· 咖啡

午餐

晚餐

只要一天有兩餐吃的像p.82～93，而且在早餐裡加一道蔬菜，蔬菜的攝取量就算合格。
如果蔬菜量不夠的話，請靈活運用4種（p.10～）調理法，盡量多吃點蔬菜。日常的三餐出現不規律時，也請花個2～3天的時間，甚至1星期，把攝取不足的蔬菜補回來。

1餐飲食合計 **2000**kcal 蔬菜約 **500**g

飲食均衡的秘訣

■ 各種顏色的蔬菜都要攝取。如此一來，自然能將根莖類、果實類、葉菜類等所有蔬菜一網打盡；也就能補充到各種蔬菜所含的營養素。

■ 每道菜的調味和料理方式不要重複。除了不會讓味道顯得單調，也能避免攝取到過量的鹽分和油脂。

■ 輪流從魚類、肉類、蛋、豆腐等攝取蛋白質，不要只單方攝取某一樣。

■ 1天請攝取1次牛奶等乳製品和水果。另外，也不要忘了從湯品或配菜攝取海藻類。

■ 飯麵等碳水化合物，對身體而言是很重要的熱量來源。每天請攝取3～4碗8分滿的份量。如果能添加一些礦物質和食物纖維都很豐富的雜糧，營養就更均衡了。

鋤燒豬肉

328kcal　10分鐘　　材料 2人份

豬里肌（薑汁豬肉用的肉片）
……………………160g
太白粉…………1・1/2大匙
沙拉油……………1大匙
薑絲…………1小塊（5g）

[醬汁]
砂糖………………1/2大匙
醬油、味醂、酒
…………………各1大匙

＊也可以用濃一點的沾麵醬代替醬汁。

作法

❶ 把豬肉抹上太白粉；把醬汁的材料全部混合。

❷ 熱油鍋，把肉片的兩面都均勻煎上色後，倒進醬汁，讓肉片確實吸附。

❸ 裝盤，再鋪上薑絲。

以鋤燒方式料理的豬肉片，不需前置處理，只要放進鍋內油煎即可。配菜的作法也相當簡便，只需汆燙菠菜、把里芋放進微波爐加熱、蕃茄切丁就可以了。對老人家而言，也是毫無負擔的輕鬆作業。

辣味肉片豆腐

327kcal 10分鐘 材料 2人份

豬肉薄片（里肌或腿肉皆可）
.... 160g
木棉豆腐.............. 2/3塊（200g）
洋蔥.................... 1/2個（100g）
A ┌ 沾麵醬（不會過濃的程度）
  │ 100ml
  └ 苦椒醬.............. 1大匙

作法

① 把肉片切成3～4cm長，洋蔥切成5mm寬。豆腐切成4塊。

② 把A放進鍋內點火加熱，再加入洋蔥和肉片，煮約1分鐘。煮的時候邊把肉片攤開。把豆腐放入鍋內的空處，再蓋上鍋蓋。把火調為稍弱的中火，邊煮邊加水，時間約5分鐘。

主菜做起來一點也不費工夫，所以很適合單身的朋友。如果肉片豆腐的湯汁再多一點，就可以放點菇類、韭菜、白菜等，做成個人獨享的小火鍋。

menu

● 辣味肉片豆腐
● 韭菜炒海帶芽 (p.22)
● 麻油拌高麗菜 (p.60)
● 糙米飯
● 筍乾湯
　（加了筍乾、小蕃茄、蔥花的中式湯品）

1餐678kcal 蔬菜約200g

menu

● 嫩煎豬排佐蘿蔔泥
● 芝麻拌彩椒(p.64)
● 蓮藕豆皮(p.40)
● 菜飯
　（摘下少許蘿蔔葉的前端，迅速汆燙後，拌入白飯裡）
● 豆腐味噌湯
　（加了豆腐和四季豆）

1餐786kcal｜蔬菜約250g

嫩煎豬排佐蘿蔔泥

322kcal　15分鐘　材料 2人份　作法

炸豬排用的豬肉⋯⋯⋯2片（200g）
A ├ 鹽、胡椒⋯⋯⋯⋯各少許
　└ 酒⋯⋯⋯⋯⋯⋯⋯1/2大匙
太白粉⋯⋯⋯⋯⋯⋯⋯1大匙
沙拉油⋯⋯⋯⋯⋯⋯⋯1/2大匙

［佐料］
白蘿蔔⋯⋯⋯⋯⋯⋯⋯200g
茗荷⋯⋯⋯⋯⋯⋯⋯⋯1個
檸檬（切成梳子形）⋯⋯1/4個

❶ 切掉豬排的筋，撒上A。接著再抹上太白粉。

❷ 把沙拉油倒進平底鍋。等油溫熱了，以中火～小火把豬排的兩面各煎2分鐘左右。

❸ 把白蘿蔔磨成泥，瀝乾水分。茗荷先切成小圓片，再放入蘿蔔泥內拌勻。豬排分切成小塊後，裝盤，鋪上蘿蔔泥。最後擠上檸檬汁和醬油（另外的材料）。

吃肉的時候，與其淋上醬汁，最好搭配蘿蔔泥。蘿蔔泥不但能幫助消化，而且熱量低，又能增加蔬菜的攝取量，可說好處多多。擠幾滴檸檬汁以後，也能減少醬油的用量。另外，白蘿蔔的葉子含有豐富的β－胡蘿蔔素，可千萬要好好利用。

蕃茄煮雞肉

`317kcal` `25分鐘` `材料` 2人份

雞腿肉（帶皮）……200g
鹽、胡椒…………各少許
麵粉…………………1大匙
四季豆…………6支（50g）
黑橄欖片………6片（5g）
橄欖油………………1大匙
A ┌ 洋蔥………1/2個（100g）
  └ 大蒜………1片（10g）
B ┌ 蕃茄水煮罐頭（切片）
  │   ………1/2罐（200g）
  │ 白酒（或米酒也可以）
  │   ………………2大匙
  └ 高湯粉……………1小匙

`作法`

❶ 把A切成末，四季豆切成4cm長。

❷ 切掉雞腿較明顯處的脂肪，再連皮切成4～6塊。撒上鹽和胡椒，再抹上麵粉。

❸ 把1/2大匙橄欖油倒進深底的平底鍋，用中火加熱。把雞肉帶皮的那面朝下放入，煎上色後，翻面再煎。只要熟了，雞肉就可以起鍋了。

❹ 拭去鍋底的污垢，再倒進1/2大匙橄欖油，以中火拌炒A約5分鐘。接著加入B和雞肉、四季豆、橄欖油煮3分鐘左右。試試味道後，撒入鹽和胡椒（另外的份量）調味。

`menu`

● 蕃茄煮雞肉
● 烤鴻喜菇（p.72）
● 優格拌小黃瓜（p.61）
  佐萵苣
● 麵包

`1餐616kcal` `蔬菜約350g`

● 西班牙大蒜湯（p.76）
（份量約食譜的1/4。141kcal）

當作主菜的燉菜也含有蔬菜，所以光靠主菜盤，所攝取到的蔬菜量便已經足夠。只要再加個飲料就OK了。如果再煮道湯，營養當然更豐富了。

- 香烤雞肉
- 酸甜高麗菜 (p.38)
- 涼拌彩椒 (p.64)
- 麥飯
  （白米加了麥片炊煮而成）
- 魚板湯
  （加了香菇、蔥段、薑、魚板）

| 1餐 **692**kcal | 蔬菜約 **180**g |

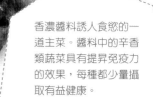

香濃醬料誘人食慾的一道主菜。醬料中的辛香類蔬菜具有提昇免疫力的效果，每種都少量攝取有益健康。

香烤雞肉

345kcal **20**分鐘　**材料** 2人份

雞腿肉	1片（250g）
沙拉油	1/2大匙
萵苣	2片
（裝飾用）蔥	5cm

[調味醬]

	蔥	5cm
	大蒜	1小片（5g）
A	薑	1小片（5g）
	辣椒（或七味辣椒粉）	
		少許

	砂糖	1大匙
A	醬油	1·1/2大匙
	麻油	1/2大匙

作法

❶ 用叉子叉遍雞腿的外皮；在肉質較厚的部位劃下淺淺的切痕，以便讓雞肉早點熟透。

❷ 把A切成末，再加入B，製作調味醬。裝飾用的蔥段切成蔥花後，先泡水再瀝乾。

❸ 把沙拉油倒進平底鍋，油溫熱了以後，把有雞皮的那面朝下，用大火煎2分鐘左右。等到外皮酥脆，翻面再煎。蓋上鍋蓋以中火加熱約4～5分鐘，把雞肉煎到近乎全熟。接著倒入調味醬，蓋上鍋蓋燜燒約2分鐘。拿起鍋蓋後，讓醬汁稍微再煮一下。

❹ 把雞肉分切為適當大小，再盛放在萵苣葉就大功告成了。

烤雞腿肉

244kcal **25分鐘** **材 料** 2人份

雞腿肉（帶皮）⋯⋯⋯1片（250g）

A
鹽⋯⋯⋯⋯⋯⋯⋯⋯1/4小匙
酒⋯⋯⋯⋯⋯⋯⋯⋯1大匙

[調味醬]
酸橘⋯⋯⋯⋯⋯⋯⋯⋯1個
柚子胡椒⋯⋯⋯⋯⋯⋯少許
紫蘇葉⋯⋯⋯⋯⋯⋯⋯2片

作 法

❶ 用叉子叉遍雞腿的外皮，在肉質較厚的部位劃下淺淺的切痕，以便讓雞肉早點熟透。用A搓揉雞肉兩面後，靜置10分鐘左右。

❷ 用烤爐把兩面各烤3～4分鐘。

肉類可以和蔬菜一起放進烤爐烤喔，下次不妨試試看。這樣的組合可能會讓人覺得蔬菜有點少，但只要在豬肉味噌湯裡多加點蔬菜就可以解決這個問題了。

menu

● 烤雞塊
● 烤香菇 (p.72)
  烤地瓜薄片 (p.73)
  （兩道菜各約一半的份量）
● 雞蛋豆腐佐高湯 (p.65)
  （把一半份量的「山形秋葵」淋在雞蛋豆腐上）
● 糙米飯
● 豆漿豬肉湯 (p.75)
  （分量約食譜的1/4）

1餐737kcal **蔬菜約160g**

menu

- 烤鮭魚
- 水菜拌豆皮 (p.62)
- 地瓜果乾沙拉 (p.43)
- 鹽味飯糰
  （在白米裡加了莧菜籽（Amaranth）炊煮而成。捏成飯糰後撒上芝麻）。
- 蕎麥茶

1餐**702**kcal ｜ 蔬菜約**160g**

若擔心鹽分攝取過多時，可搭配甜味配菜來平衡一下。只要將地瓜或南瓜微波加熱，就是一道具有自然甜味的配菜。

烤鮭魚

134kcal **30**分鐘　材料 2人份

生鮭魚 ………… 2片（160g）
柚子皮* ……… 1/4個
[醃醬]
酒、味醂、醬油
……………… 各1大匙
柚子汁* ……… 1/2大匙（約半個份）
[配菜]
蔥段 …………… 1支

*如果買不到柚子，用檸檬代替也可以。

作法

❶ 把醃醬的材料混在一起，再把鮭魚放進去醃20分鐘。把蔥切成可以放得進烤爐的長度。

❷ 把鮭魚和蔥段放進烤爐。鮭魚單面烤4～5分鐘後，翻面再烤。如果蔥段先烤好了，就先拿出來。

❸ 等到鮭魚兩面都烤好了，拿出來抹上醃醬，再放回去稍微烤過，直到醃醬乾掉。補上醃醬後，再放回去烤。這樣的步驟反覆2～3次。

❹ 將鮭魚盛盤，撒上柚子皮屑。旁邊再放上切成3cm長的蔥段。

味噌美乃滋烤旗魚

| 207kcal | 20分鐘 |

材料 2人份

旗魚	············	2片（160g）
A	鹽	········· 1/6小匙
	酒	········· 2小匙
（裝飾用）紫蘇葉	···	2片
[味噌美乃滋醬汁]		
味噌	············	1/2大匙
美乃滋	··········	2大匙
蔥段	············	10cm
薑	·············	1塊（10g）

作法

❶ 把A撒在旗魚上，醃10分鐘左右。

❷ 把蔥和薑切成末，和醬汁的材料拌在一起。

❸ 拭乾旗魚的水分，放進烤爐把兩面各烤3～4分鐘。等到兩面幾乎都烤熟了，抹上醬汁後，再度送回烤爐，直到烤出誘人的色澤。

擔心美乃滋的熱量過高，所以敬而遠之的人不少；不過，把它當作增加料理美味的秘密武器，倒是挺合適的。只要把配菜改成不必加油的醋拌料理等，味覺上也能取得平衡。也可把蔬菜和魚排一起放進去烤，這樣也能增加蔬菜的攝取量。

menu

● 味噌美乃滋烤旗魚

● 四季豆炒豆腐（p.39）

● 糖醋白蘿蔔（p.63）

● 梅子粥

（在80g白米裡加3杯水，靜置30分鐘後炊煮成粥。以上為2人份。用鍋子放在瓦斯爐上煮的話，煮滾後要再以小火煮40分鐘，而且中途不可攪拌。最後放上梅乾）

● 蘋果

| 1餐460kcal | 蔬菜約170g |

- 微波白肉魚
- 酸橘醋炒馬鈴薯 (p.24)
- 昆布鹽拌高麗菜 (p.60)
- 白飯
- 蕃茄酸辣湯 (p.74)

（約食譜的1/4量）

1餐**622**kcal ｜ 蔬菜約**250**g

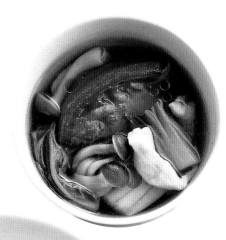

微波白肉魚

205kcal 15分鐘 材料 2人份

白肉魚* ·············· 2片（200g）
鹽 ·························· 1/3小匙
薑 ·························· 1片（10g）
香菇 ···················· 3朵
酒 ·························· 2大匙

[裝飾用的蔬菜]
蔥段 ···················· 10cm
半圓形的檸檬片·2片
醬油、麻油 ········ 各1/2大匙
*金目鯛、新鮮鱈魚或鯛魚都可以。

作法

❶ 在魚肉撒上鹽巴，醃10分鐘左右。

❷ 薑切成絲；香菇去蒂後，切成薄片。把蔥切成5cm長的蔥絲，再泡進水裡。

❸ 拭乾魚肉的水分後，放置在耐熱皿。鋪上薑絲和香菇，再灑上清酒。用保鮮膜包好後，放進微波爐加熱約2分30秒。

❹ 將魚肉盛盤後，放上檸檬片。最後淋上醬油和麻油即可。

蒸魚肉本身的味道很清淡，所以建議可搭配一道炒類的配菜，或者口感清脆的生菜。這道蒸魚的鹽分稍高，如果介意的話，可以把薯芋類或甜味南瓜當作其中的一道配菜。

炸牡蠣

379kcal | 20分鐘 | 材料 2人份

已剝殼的牡蠣（加熱用）
..................................6大顆（120g）
炸油..................................適量

[麵衣]
麵粉..................................1大匙
蛋 1/2個＋水 1大匙
麵包粉..................................2/3杯

[塔塔醬]
美乃滋..................................3大匙
醃黃瓜*（切丁）..............1大匙
檸檬汁（或醃黃瓜的汁）
..................................1小匙

*照片中的是p.51介紹的醃黃瓜。可以用市售品或洋蔥代替。

作法

❶ 把牡蠣洗乾淨後，瀝乾水分。依序裹上麵衣的材料。

❷ 把炸油倒進鍋內，等到油溫升高（170～180℃），放入牡蠣油炸至金黃色。

❸ 混合塔塔醬的材料，拌勻後，淋在炸好的牡蠣。

高麗菜絲可說是搭配炸牡蠣的最佳拍檔，記得多吃一點。這裡是做成淺漬泡菜。除了生菜，清蒸蔬菜（p.37）也很不錯。醃黃瓜等可以久放的泡菜，也是很方便的選擇。

menu

● 炸牡蠣
● 淺漬高麗菜 (p.60)
● 蕪菁沙拉 (p.64)
● 羊栖菜飯
（把煮過的羊栖菜混在白飯）
● 金針菇味噌湯
（添加金針菇、蔥花）

1餐771kcal | 蔬菜約170g

蔬菜分類索引

國家圖書館出版品預行編目資料

165種新吃法！天天都愛吃蔬菜 / Better Home協會編著：
藍嘉楹翻譯-- 初版.-- 臺北市 ：
笛藤，2010.04
面 ； 公分
ISBN 978-957-710-550-9（平裝）
1. 烹飪　2. 蔬菜食譜

427　　　　　　　　　　　　99005648

料理研究　Better Home 協會
　　　　　（山上友子）
攝　　影　中里一曉
造　　型　青野康子
插　　圖　祖父江ヒロコ

165種新吃法！
天天都愛吃蔬菜！　定價260元

2010年8月18日 初版第2刷
著　　者：Better Home 協會
翻　　譯：藍嘉楹
編　　輯：賴巧凌
封面‧內頁排版：果實文化設計
發 行 所：笛藤出版圖書有限公司
發 行 人：鍾東明
地　　址：台北市民生東路二段147巷5弄13號
電　　話：(02)2503-7628‧(02)2505-7457
傳　　真：(02)2502-2090
總 經 銷：聯合發行股份有限公司
地　　址：台北縣新店市寶橋路235巷6弄6號2樓
電　　話：(02)2917-8022‧(02)2917-8042
製 版 廠：造極彩色印刷製版股份有限公司
地　　址：台北縣中和市中山路2段340巷36號
電　　話：(02)2240-0333‧(02)2248-3904

訂書郵撥帳戶：笛藤出版圖書有限公司
訂書郵撥帳號：0576089-8